別忘了飛

為心裝上翅膀的366天

文字
王曙芳

影像
魏瑛娟

Bowl of Saki

Hazrat Inayat Khan
哈茲若·音那雅·康

July — December

心靈就像鋤頭，不用會生鏽

代序

◎王浩一（作家、主持人）

一年多前，閱讀臉書「台灣原能量心靈平衡協會」每天所貼出《Bowl of Saki》文章，一整年的「每日靈感366」，說著蘇非哲學語錄、譯文、引言。一天一文一圖，心得滿載，跟隨著文字按了讚、貼了愛心，有了一個比擬想法：

我，每天早上在一座小學的操場繞圈圈，健身緩行。一天，看到一位運動健將屢屢從我身後超越而過，一身勁裝急速又優雅跑動著，不僅風馳電掣，而且身影迷人。我想著，也觀察著這麼精采的作品不應該只有少數人看到，「她不應只在小操場練跑，她應該去參加奧運的」……。

關於蘇非哲學我有約略的概念，它是一些追求精神層面提升的伊斯蘭教智者，或是行者，六百多年來所累積出驚人的心靈智慧和天人語錄。我是雜食閱讀者，偶有看到蘇非哲學的吉光片羽，也拾得隻言片語，像是在麥田裡撿得幾串遺穗，珍惜賞閱，也受啟發，卻又不免悵然，如何能得有全面的蘇非智光麥田？

退休前，我開始書寫「聰明慢老」系列書冊，梳理著過去歲月所讀、所想、所學、所經歷，開始有了「沒有那些過程，也不會有現在的我」的沉澱心理。也開始懂得一些智慧長者所說：「雖說我也希望自己能夠像滿月一樣閃耀，但我其實比較像新月。即使有所欠缺，那些脆弱的地方，因為有了別人的幫助，也就成了滿月。」別人的幫助，不是憑空掉了下來，而是心靈要懂得虛空、修補、承載，甚至自由。

看到曙芳每天所書寫這些蘇非哲學的「引言」，我看得到她豐盛、吸引人的心理學，也從宗教引述又從哲學出來的自由自在，扎實的文學養成、富厚的音樂背景，所萃得而出的修養文字，加上她心靈淨粹的描述……這366篇引言，我有了幾個心靈學習的念頭：

——— 一、366則語錄，根本就是一張完整的「心靈自由地圖」

心靈森林總是山霧飄緲，有了地圖我們可以悠然徜徉在樹林之間，看到在枝葉罅隙之間投下的光柱，也可以找到野溪潺緩，步過了風谷，瀑布的水聲依繞。地圖裡縱橫座標之中，《別忘了飛》收集種種的諸多心靈上的探討和梳理，面面俱到，璀璨光彩，向人們展示豐實完整的心靈成長的世界樣貌。

閱讀方式，適合每一天跟隨著四季月分規劃，與智者同行，有導覽者同步。像是武功初習者，一拳一腿，總有基本章法。

——— 二、366則引言，是心靈芬多精的補充中心

我有幾位朋友屆臨退休，他們開始關心「初老時的心田耕作」，知道過去的歲月，很多時候，我們的生活都伴著勞累與窒息，在快節奏的生活中迷失，在無止境的工作量中一次次瀕臨崩潰……當到了一個歲月時光，他們懂得了「生活不只是眼前的苟且」，懂得了活下去的勇氣是源自一些溫暖的人，心靈自由則是源自於一些我們從未見過的風景。這些溫暖的人或是風景，其實就是所理解的「每個人的心，都是神的居所」。蘇非的「神」不屬於宗教的神龕，祂屬於大理想與每個人的靈魂初心。所以蘇非哲學說「榮耀與卑微，開創與瓦解，都是心與神的表達」。

閱讀方式，適合隨機，任意翻閱，不要貪多，開卷跳出來的文字，就是今天的靈感或是密碼。風雨歲月裡，總有「提醒」隱身在四周，對我們暗示，或是向我們現身智慧。一位103歲的日本哲代奶奶，說80歲後她才眞的學會對自己無

法控制的事情放手，可見生命智慧難得。我以爲，或許「偶然的隨機」有「同時性」神奇的智慧，可能啟迪出一道心靈路徑，那是靈感的呼喚。

—— 三、每天隨機翻閱的「都蘭巫婆的不勉強濃湯」

爲何這麼說？蘇非哲學《Bowl of Saki》日知錄，翻譯出原文可能不難，但是精氣神可能不足；引言的部分人人也可以自由申論，但是能綜合各種專業知識，神韻到位，而且文字優雅，就有難度了。曙芳的引言精準到位，傳達了哲理的精髓，又巧意易讀，心理學穿梭其間，舉重若輕，靈魂觀忽隱忽現，親和眞實，而且無教條式的語言，雋永典雅。她推開了心靈天窗，除了看到藍天白雲，也吹進了一道清風。

我戲稱她是「都蘭巫婆」，除了她的英倫沙拉醬汁創意神奇，總有讓人耳目一新的辛香料，與信手捻來的油醋醬，隨機調配，滋味萬千，美妙無比。她每天所寫的引言，也如同一鍋巫婆濃湯，自成一格，品嘗之餘，我總在讚嘆間留下一些話語，舉例5月分引言，我的留言回應：

- 5/4：言之有理。像有關健康的雜誌主編諄諄之言。
- 5/9：最後一段非常重要、中肯。我也是55歲才領悟。
- 5/11：很棒的文章，喜歡你的觀點。
- 5/15：一個尋求獎賞的人，獲得的獎賞總比他設想的渺小。
- 5/16：眞理。可惜人們還是努力當「富人」，除非豁達，他們才能享受內心泉源不斷的「窮人」。
- 5/17：題目很單純但是強大，引言的文字有高度，閱讀起來很享受。
- 5/18：很扎實的論點，把「理想」置於最高點，這是一錘定音之論。
- 5/22：這一篇犀利，如刨丁的刀，游刃有餘於智慧之海。
- 5/23：非常美，不說教，卻在一步步的說明中，令人深刻地觀看自己來時路，有恍然的明白。

◆ 5/26：這篇是「高級的提醒」，非常受用的關念。

◆ 5/29：精準地講出愛的眞諦和原則，厲害。

弘一大師有手書一偈：「君子之交，其淡如水。執象而求，咫尺千里。問余何適，廓爾忘言。華枝春滿，天心月圓。」詩中傳達了高曠寧靜、心靈祥明，我試圖翻譯：君子之間的交往如水清淡，不黏不膩。如果只看到了事物的表象，便以爲掌握了眞實或自以爲正覺正悟，事實上還在千里之外。若問我去哪裡安身呢？ 放眼空曠無際，前路廣闊迢遠，這樣的覺受無需言語。但見春滿花開，明月當空，一片寧靜安詳，那裡就是我的心靈歸處啊。

若是我們的心靈，學得順其自然、從容以對，我們才懂得內觀，也能仰看心窗。若是我們的心靈，學會了走得更遠，才能欣賞沿路的不同風景。

哈茲若・音那雅・康

Hazrat Inayat Khan

（1882-1927）

往內的朝聖之路

前言

哈茲若．音那雅．康帶給世界的啟發

◎王曙芳

1910年，一位皮膚黝黑的28歲印度青年，帶著靈性導師的祝福，肩負神聖的使命，離開印度，搭上駛往美國的船。他並不知道，這個旅行，即將改變他的一生，也影響整個世界。

十多年之後，哈茲若．音那雅．康的著作和演講，成爲蘇非哲學最重要的文獻，他的靈性教導開創了「心的文化」，他的前瞻性遠遠超前他的時代，乃至在二十一世紀，還能與當代心靈擦出火花。

哈茲若（Hazrat）是在他去世後人們賦予他的頭銜或尊稱，意思是「臨在」。他的本名音那雅（Inayat），意思是仁慈。這個名字在他身上，可以說是名符其實。

音那雅．康在1882年誕生於印度的巴爾多（Bardo），傳承了父母家族在音樂和神祕學上的愛好。他的祖父茂拉巴克許（Maulabakhsh）是備受敬重的作曲家，被喻爲「印度的貝多芬」。音那雅．康受祖父的影響深遠，他喜歡祖父的陪伴，遠勝於和其他同齡小孩玩耍。小時候，他會在一旁安靜欣賞祖父彈奏音樂，看他做研究的方法，聽他和別人如何對話。

他從小就展現對音樂和神祕學的天賦和熱情。小時候，他會纏著父母問這樣的問題：「神住在哪裡？」「祂幾歲？」「我們爲何要對神禱告？」「人爲何畏懼神？」「人爲什麼要死？」「人死後去哪裡？」「如果神創造一切？ 那麼，又是誰創造神？」

由此可見，神祕學在音那雅．康童稚之年，就進駐他的思維之海。幸好他有非常好的父母和祖父，總是認眞回答他的疑問，並不敷衍他。這些對話，在他的心靈播下種子。

∽

前往美國之前，哈茲若 · 音那雅 · 康早已是印度享譽盛名的音樂家。他是Vina琴的演奏家，才氣縱橫，旣作曲也唱歌。早慧的他，18歲就享有令人豔羨的地位和成就，曾受邀在印度許多皇室貴族的宮廷演出，獲得豐厚的賞賜和表揚。

然而，物質上的成就並不能眞正滿足他，他總惦記著那些不如他幸運、無法受到尊敬、困苦潦倒的同儕。有一天，他把多年來演出被賞賜的整袋的珠寶掉落在車上。一夕之間，擁有的財富都化爲烏有。音那雅 · 康並沒有捶胸頓足，感到懊悔，他反而認爲，這是神想要帶給他的訊息。這些積累的財富，都是鏡花水月，並不重要。還有更重要的事，等著他去發掘。

雖然出身音樂世家，年輕時，音那雅 · 康便深受蘇非文化的吸引。

在他的自傳中，他提及曾好奇尾隨一群托缽僧（Dervish）至墓園聚會。他們的自在快樂、詩歌音樂，甚至他們的特立獨行，都令他著迷。「托缽僧們戴著歪斜的帽子，衣著古怪，袍子綴滿補丁，有些甚至缺一只袖子、一條褲管，然而他們的眼神炯然，以『國王中的國王，帝王中的帝王』稱呼彼此，彷彿他們才是最尊貴的人，這跟他們如同丐幫的外觀有很大的落差。」音那雅 · 康非常好奇，托缽僧的「國王」所掌管的是什麼？爲何他們可以不在意自己的外觀和別人的眼光，而且在當下如此快樂？

尋覓多年，音那雅 · 康終於遇見心儀的蘇非導師，納入他的門下。與導師深刻的連結，帶領他深入蘇非思想的堂奧，循序漸進地學習蘇非哲學的各個層面。同時，他接受神祕學的密集訓練：「我培養了我的內在感官，經歷了幾個階段的透視、靈聽、直覺、靈感、感應、夢境和異象。我也進行了與生者和亡靈溝通的實驗。我深入研究了神祕主義的隱祕與靈性層面，並體悟了虔誠、道德或奉獻的益處。」

這些訓練，扎實打下音那雅．康關於蘇非哲學和神祕學的基礎，緊接著，他積極地學習「比較宗教學」，探索東西方不同宗教的教義，從基督教、佛教到猶太教、拜火教……。這些學習，如今看來都是在爲了他日後的使命做準備。

當時機成熟，在導師的指示之下，音那雅．康便前往歐美，進行文化交流，播下蘇非思想的種子。

他想要傳遞的訊息是普世的眞理；是破除種姓、種族、宗教、信仰、民族的藩籬，讓全人類邁向相互包容、理解的合一境界。他期望帶來東西方的文化和諧與世界和平。

這個，就是蘇非主義的核心主張。

∽

剛到美國時，音樂是音那雅．康的敲門磚。印度音樂對美國人新穎又陌生，他傑出的演出和對音樂哲學的詮釋吸引不少知識分子與愛樂人士，邀約接踵而至。他獲邀到哥倫比亞、柏克萊、加州大學等知名學校，講述音樂哲學並表演音樂，他帶著印度樂團在各大城市巡迴演出。後來，他甚至前往英國和法國進行交流，與德布西（Claude Debussy）成爲莫逆之交。

音樂是音那雅．康的救贖，而傳遞蘇非哲學則是他的使命。一開始，他試圖維繫身爲音樂家和講師這兩個身分的平衡。逐漸地，他的天秤向授課解惑傾斜，音樂則退居其次。爲了達成他的使命，不負導師所託，他犧牲了自己最心愛的音樂。他所成立的蘇非教團（Sufi Order），在當時是傳遞蘇非思想的重要組織，後來它開枝散葉，成爲一些靈性學校，傳遞靜心法門和靈性教導。

音那雅．康1927年於印度病逝，根據後來的證據顯示，他極有可能是被反對他的教派下毒致死。畢竟他所倡導的平等思想，危害當權者的既得利益。然而，他在歐美的這短短十七年，所留下的著作和文獻，不論在數量或是質地，都是非常驚人。

∽

許多人把蘇非視爲伊斯蘭教的一個分支。然而，這條小溪流早就有它自己的個性和主張。它蜿蜒進入山河峽谷，流淌成自己的風景。就像是沒有人會把中世紀詩人魯米和卡比爾與伊斯蘭教綁在一起，那是文學史上噙著的一口美酒，令靈魂迷醉，不隸屬任何意識形態，而他們是衆所皆知的蘇非詩人。

所以，蘇非可以說是伊斯蘭教當中，最神祕清新的一個支派，它的訴求是「與神直接的連結和情感交流」，不透過任何的「買辦」或「仲介」，不依賴傳教士和權威……。它想要透過自我探索，來理解永恆的眞義，並且就在此刻此生實現它。光是這個主張，就已經和大多數伊斯蘭教派分道揚鑣。

我們可以說「蘇非主義」是：透過情感和靈性來探索「通往神的道路」，並且藉由與神所發展的關係來踏上「內在智慧之道」。這兩條道路相輔相成。

從托缽僧到蘇非旋轉，從魯米到音那雅 · 康，蘇非呈現的是不與世俗同流，眞誠又熱情、浪漫又理想的生命狀態；每次的凝望都是一首詩。

哈茲若 · 音那雅 · 康的文字，爲我們帶來的就是人性與神性、短暫與永恆之間的頃軋，交織而成的魅力與光影：「當我見到祢輝煌的願景時，我沉浸於狂喜之中，親愛的：我心中波濤洶湧，我的心成爲海洋。」

在當前的世界，由於種種的「不能相容」而支離破碎的時刻，或許，音那雅 · 康的話語和觀點，可以再度溫柔縫補我們的願景，就像是托缽僧身上華麗的補丁，離奇、坦率又和諧，因爲相信靈魂是可以裝上翅膀去飛翔，因爲相信自己是心靈世界的國王，掌管了自己，就掌管了宇宙。

目錄

JULY

7/1

Man's pride and satisfaction in what he knows limits the scope of his vision.

人的自豪以及對自己所知的滿足，會限制他的視野範圍。

一個人習慣從他所知道的東西來獲得滿足和驕傲。如果他的知識環繞著名牌、權勢、擁有的財產……，那麼，這就會是他想得到滿足和被看見的方式。時常，人們表現出慷慨並非出於善意，而是爲了滿足自我的虛榮，要別人看見自己的善行；也有人透過金錢來展現優越感，或是藉此貶低別人。

這些傾向，都來自於自我。因爲自我的興趣，總是圍繞在自己身上。

人們所擁有的知識都是透過信念所積累的。譬如，你相信達爾文的進化論，你就會找到更多知識去佐證進化論，忽略不支持進化論的觀點。或是，你認爲有了權勢，才能在世界上無往不利，掌控一切；於是，你會搜集更多知識來證明這個信念。

也因此，一個人就會對他的知識無法支持的道理，以及他的理性無法合理化的事物產生懷疑。狹隘的知識有如一堵牆，讓一個人無法走向眞理，無法看到更多的觀點和新的可能性。

7/2

Man must first create peace in himself if he desires to see peace in the world; for lacking peace within, no effort of his can bring any result.

一個人若想要世界和平，首先必須在自己內在創造和平；若是內心缺乏平靜，他的努力不會帶來任何結果。

審視當前的世界局勢，人類所製造的戰爭每天還在世界各個角落持續發生。世界和平並沒有因爲進入二十一世紀，而降臨世界。一百年前，哈茲若·音那雅·康寫下這一段話，語重心長地說，要達到世界和平，要先從我們自身開始。這些話，猶如暮鼓晨鐘，令人低迴不已。

我們如何終止內在的戰爭呢？在我們之中有不同的人格，他們有不同的目標，無法達成共識。我們的精神層面和物質層面，經常衝突；當我們被環境干擾，被外界的意見影響，我們便怪罪他人和環境破壞我們的寧靜。

事實上，這一切是我們自己的問題。如果你能夠把持得住，內在堅定不移，那麼不論是在市井之中，或是在深山洞穴裡，在任何地方，你都可以感受到和平。如果你對自己有深刻的了解，懂得聆聽自己的各個部分，照顧他們的不同需求，內在便會休戰。

在很多情況，我們是有所選擇的。如果你對自己的思想、言語、行動帶著覺知，往往可以化解干戈，創造和平。

「什麼是和平？和平是靈魂最自然的狀態。」哈茲若·音那雅·康如是說。

7/3

The knowledge of self is the essential knowledge; it gives knowledge of humanity. In the understanding of the human being lies that understanding of nature which reveals the law of creation.

關於自我的知識是最基本的知識；它賦予人們對人性的了解。而在理解人性的過程中，也了解了自然，透析創造的法則。

學習可以從兩個方向進行，一種是由內而外的學習，一種則是由外而內的學習。

大多數人是採用後者的學習方式。人們藉由上學、閱讀書本或查閱資料，來擷取知識，藉此了解世界的運作。可是，這個方面的學習很快會遇到瓶頸，如果你對於自己內在並不了解，你也很難了解別人或是世界。

然而，如果你採取前者的學習方式，把對自己的認識當成最重要的學習，那麼你會很意外地發現，當你能夠深刻了解自己，你也就理解了自然的運作。而如果你能理解自然的運作，你便能理解生命，進而透析世界的運作。這樣的知識，不是書本或網路可以給你的。只有透過研究自己的內在的生命，我們才可能認識外在的生命。

因此，哈茲若·音那雅·康說：「關於自我的知識，會帶給一個人對於世界的知識。」

7/4

While man blames another for causing him harm, the wise man first takes himself to task.

人們習慣指責別人讓自己受傷，然而有智慧的人會先回過頭來審思自己的作為。

我們的抗爭往往有兩個方向，一個是對外的抗爭，一個是對內的抗爭。

對外的抗爭，是一般人熟悉的，譬如生活條件、社會教條、地位和權勢……。對內的抗爭，一般會發生在，當我們走上靈性的旅程之後，我們所遇見的第一個敵人，是自我。

自我非常狡猾。哈茲若·音那雅·康這麼形容自我：「當你想要對抗它，自我會說：『你要跟我鬥嗎？ 我就是你自己啊！』然而，一旦事情失敗了，它馬上就怪罪別人，認爲這是別人造成的。」

失敗的人，很少會檢討自己，他忙著去檢討別人；然而，一旦事情成功了，他立刻就邀功，說：「這一切都是我自己做的。」

自我是如此驕傲、虛榮、狹隘，很難承認自己所犯的錯，它的自私傾向，蒙蔽了他的判斷。

只有具備智慧的人，懂得反思自己，看見是自己的回應方式，是自我的哪一部分，讓自己受傷？ 如此一來，他重新掌握了改寫自己故事的鑰匙，同時讓療癒開始發生。

7/5

Whatever their faith, the wise have always been able to meet each other beyond those boundaries of external forms and conventions which are natural and necessary to human life, but which nonetheless separate humanity.

無論他們的信仰如何，智者總是能夠超越外在形式和慣例的界限而彼此相遇。這些界限是人類生活中自然而必要的部分，但它們仍然會區隔人類。

坊間許多的書，教人如何立下界線，好讓一個人能夠保護自己，不受他人的情緒或權力影響或操控。然而，有時候，我們更需要的是超越界線。

這裡說的「超越界線」，是能夠穿越所有的形式和習俗的「表象」，而看見表象之下的實相。

在萬物不同的外表之下，有個基本的精神是貫穿所有一切的。這個精神，就好比你家中電力系統裡的電流，你雖看不見它，但是它的能量讓每個電器都發揮作用。

如果我們能夠相遇在彼此共通的地方，而不是停駐在彼此的區隔和差異，那麼，我們對於世界的視野是否會有所不同？對於自己和整體的關聯能否有更深的體悟？

7/6

It is the message that proves the messenger, not the claim.
是傳信者所傳的信息證明了他真的是傳信者，而不是因為他宣稱自己為傳信者。

先知是神／唯一存在的傳信者。自古以來，在不同時代所誕生的先知，他們帶給人們那個時代所最需要的訊息。先知企圖將人類從地球稠密的能量中提升，打開人類心靈的大門，迎接無處不在的美，照亮那些在黑暗中摸索的靈魂，並且恢復人與神之間的連結……。

眞正的先知會透過他們的行爲、所透露的訊息、所散發的愛的氛圍，來證明他們自己是傳信者。

先知是如同太陽一般的存在，他們所輻射的光芒和溫暖，滋養了周遭所有的人，甚至後代更多的人，引導人們成長和突破現況。

7/7

Every soul has a definite task, and the fulfillment of each individual purpose can alone lead man aright; illumination comes to him through the medium of his own talent.

每個靈魂都有一個明確的任務，而去實現個人生命的目的會將一個人導往正確的方向；經由他的天賦，他會獲得啟發。

所謂的天賦，就是一個人天生擅長的事，因此也可以視爲是他與生俱來的神聖特質或能力。這個神聖特質是有配套措施的，因爲一個人需要他的天賦，來完成他來地球誕生的明確任務。所以當一個人發掘所長，善用天賦的時候，他就校準了宇宙的合一意識，也特別容易收到神聖的啟發和指引。

宇宙的整體就像是一個複雜的織錦，每個存在都是相互依存的。透過每個人去達成他的學習和任務，宇宙織出花色富麗的織錦，因爲它呈現出所有個人的天賦。因此，每個人的貢獻都是非常重要，不可或缺的，就如同織錦當中的每一條線，其實都是交錯支持而且互相連動的。

即便，大多數的人，可能終其一生都不知道自己的生命「目的」是什麼。也不知道如何發掘它？但只要這個人有探索自己的意願，開始往內心去尋找，隱藏在心中的火光，會爲他揭開這個祕密。

不論每個人生命的目的表面上爲何，所有的目的，最後都指向同一個目的：讓靈魂能夠開展，抒發他的才能。

7/8

While man judges another from his own moral standpoint, the wise man looks also at the point of view of another.

當人從自己的道德標準來論斷另一個人時，智者同時會從另一個人的觀點來看事情。

大多數的紛爭或意見不合，都是來自於彼此的誤解。而誤解則是由於頭腦固執己見，無法打開胸襟，從他人的觀點來看事情。很多人甚至害怕去了解他人的觀點，好像這樣子做，會失去自己的立足點。

智者則不同，他隨時準備去理解別人和自己的不同立場，對他而言，這是在擴充自己的想法，不是放棄自己的想法。了解並不是透過智力，而是透過心的敏銳與直覺，只有充滿活力的心才具備去了解他人的能力。

7/9

While man rejoices over his rise and sorrows over his fall, the wise man takes both as the natural consequences of life.

人們因為興盛而歡喜，由於衰落而悲傷，智者則把這兩者都視為生命循環的自然結果。

生命是不斷變動的結果，盛極必衰，衰極返盛。沒有什麼可以永久興盛，或永久衰敗。就如大海中的波浪，總有高低起伏，沒有任何浪頭可以一直上升起而不落下，這是生命的自然現象。當升起的情況來到盡頭，浪頭必然要崩塌。

升起或衰落，成功或失敗，都是生命的表象，在表象之下，有個恆常的精神是貫穿一切的，它可以顯現爲許許多多不同的表象。因此智者知道，不需要執著於表象，一切順其自然。

不因爲被稱讚而竊喜，也不因爲被責怪而失志。接受一切來臨的事物，就算看著玫瑰花刺，也可以看到那是花的一部分。如此一來，你總是心滿意足。無論遭遇到什麼，都不會失去你的幸福與寧靜。

7/10

It is the lover of God whose heart is filled with devotion who can commune with God, not he who makes an effort with his intellect to analyze God.

神的愛人，他的心滿溢著對神的奉獻，於是能夠與神對話；至於那些試圖以智力分析神的人，反而無法與神溝通。

科學是透過「分析」來學習，神祕學則是透過「融合」來學習。

想要學習關於神的事，無法透過科學的解析，或是去拆解神的「組成」來認識神。反而是透過對神的愛，與神融合，才能了解神。

當人成了神的愛人，他自然就會透過心去體驗神，而不再是透過頭腦去理解神。

理性的分析和抽象的傾向，會障礙一個人直接體驗神聖的愛。反而是在愛之中，愛人與被愛的人得以合而爲一，心意相通，這樣的連結，本身就充滿轉化的神奇力量。

7/11

Do not bemoan the past; do not worry about the future; but try to make the best of today.

不要哀悼過去，不要憂慮未來，但要盡量讓今天過得好。

如果我們一直在懊悔過去做了或沒做的事，或是憂慮未來即將發生或不發生的事，那麼我們的世界變得很狹小，我們的精力都用在懊悔以及憂慮上頭，哪裡有餘力好好把握此刻與現在。

只有現在這一刻是永恆的，這一刻同時包含了過去和未來。

在這一刻，你能夠選擇用什麼態度去面對眼前的情況和人，而且這個選擇是靈魂的自由，我們應該努力從中獲得快樂。你的每個選擇，都正在替未來播下種子。

7/12

He who can quicken the feeling of another to joy or to gratitude, by that much he adds to his own life.

一個人若能夠讓別人感受到快樂或感激，他就為自己的生活也增添了這些東西。

每個人都有他的影響力，一個人影響力的範圍與他同情心所涵蓋的範圍息息相關。而同情心所及之處，則是對應到他心胸的容量。

因此，一個人的心所能容納的，也就是他所能影響的範圍。當他提升了自己，在他的影響範圍內的人也將一起提升，當他下墜，那些人也將一起下墜。

當一個人收回自己的同情心，他的影響範圍也就崩解。

而如果一個人啟發周遭的人正向思考，讓他們心中因此湧現快樂或感激的心情，這些能量，也會同時注入他自己的生命。

7/13

Praise cannot exist without blame; it has no existence without its opposite.

沒有責備就不可能有讚美；一個事物如果沒有對立面，它就不存在。

萬物都有它的對立面，而在每個對立面當中，也存在著與它相對的精神。男人當中有女性的特質，女人當中也有男性的氣魄。

如果沒有痛苦，就不會有快樂。如果沒有渺小，就看不見偉大。假使只有成功，而沒有失敗，成功就失去意義。了解二元對立的運作方式，以及它們的平衡原則，可以解開許多不必要的執著。然而更重要的是，如何超越二元對立的局面？

當你可以穿透事物的表象，看得更深一點，你就明白這些對立面，就如一個銅板的兩面。透過責備，我們了解讚美；透過讚美，我們也了解責備。缺乏任何一半，我們對於事物的了解都不會完整。

因此，在蘇非的練習當中，當一個人想要培養自己的神聖特質，他會同時觀想一組相對的特質：譬如榮耀與卑微，柔弱與力量。

對於蘇非而言，榮耀與卑微，開創與瓦解，都是神聖的表達，有它們各自的位置。所以如果遭遇失敗或是失落，蘇非會把這些經驗看作是一個更大計畫的一部分，雖然他還不知道那個神聖的計畫是什麼。但是他不會因爲收穫而沾沾自喜，也不會因爲失落而唉聲嘆氣。

蘇非一直以來的練習是爲了體會到合一的意識，他會在成功之中，看見失敗；在失敗之中，看見成功。

7/14

Riches and power may vanish because they are outside ourselves; only that which is within can we call our own.

財富和權勢都可能會消失，因為它們是外在的東西；我們可以宣稱自己真正擁有的東西，只有我們內在的東西。

錢財、頭銜、地位、房產，你以爲你擁有的這些東西，都是外在的東西，就如過眼雲煙。就算你投入對它們的追求，也享受它們所提供的舒適和服務，它們並不眞的屬於你。有一天，當你離開這個地球，什麼也帶不走。它們也並不會帶來持久的快樂與幸福，相反地，擁有愈多的人愈是戰戰兢兢，深怕失去。

然而，你內在所培養的素質，你的自我實現與知識，你內心的調頻與力量，這些是你眞正的資產，沒有任何人可以拿走。它們能帶給你持久的喜悅與寧靜，而這是外在所擁有的財物無法提供的。

7/15

The world is evolving from imperfection towards perfection; it needs all love and sympathy; great tenderness and watchfulness is required from each one of us.

世界正在從不完美走向完美；它需要所有的愛和同情。在此時，我們每個人都必須有極大的溫柔和警覺。

靈魂誕生在這個世界上，有了身體和自我。每個人都繼承了來自不同家族的影響，以及過去生生世世靈魂所累積的印象，這些讓我們經驗到不完美，產生對自己和別人的批判。

然而，靈魂的願力是來經歷從不完美走向完美的歷程。

如果你誕生的世界已經完美，如果你出生就是完美的，那麼創造本身便沒有意義，而你不再具有誕生的目的。

即便，在這個不完美的世界，企圖發掘美好，會帶來失望。然而，透過練習，你會愈來愈喜悅，愈來愈駕輕就熟。直到在塵土裡，你可以看見黃金；在充滿稜角的關係，也能夠藉由溫柔與小心，軟化稜角，帶來和諧。

7/16

The heart of every man, both good and bad, is the abode of God, and care should be taken never to wound anyone by word or act.

無論是好人還是壞人，每個人的心，都是神的居所；應該小心，不要用言語或行為傷害任何人。

佛教當中的持戒，最重要的就是透過言語和行爲的修行，盡可能地不要傷害任何人。蘇非學派的修行，一樣是透過對他人的言語和行爲保持覺知的努力，同時栽培心的素質，將仁慈與溫柔，納入執行的品質。因爲，對於蘇非，每個人的心，都是神的居所。如果傷害了任何人的心，就是傷害了神。

所以，不論你認爲他們是好人或壞人，都要盡量無差別地體貼別人的感受。

每個刺耳的想法，都會立刻影響兩股流經我們的能量，第一個是「生命之氣」(prana)，也就是我們透過吸氣和吐氣與外界所交換的能量。呼吸承載著我們的想法，影響著我們周遭的人的心思與感受，同時，我們也會覺察這個想法所折射而來的回音。

第二個是「心的能量」，這就是涵融宇宙之愛的本質，正是這股愛的能量，維繫著地球上的一切。如果傷害了別人，我們就傷害了那個人心的影響範圍，同時，也連累它所觸及的許多人。

7/17

We should be careful to take away from ourselves any thorns that prick us in the personality of others.

我們應該小心地把別人性格中任何刺痛我們的刺，從自己身上拿走。

這句話說的是審視自己的陰影，然後自我療傷。

當你討厭一個人，通常因爲這個人的人格當中，有些東西令你感到很不舒服，會刺傷你，於是你想迴避他，或批判他。譬如：他太悲觀，太虛假，或是她太負面，太計較……。

這時候，我們該往內審視，因爲那些令你不舒服的地方，就像是早已經長在你裡面的刺，只不過是藉由這個人，讓它凸顯出來。

那個人所呈現的，其實是我們最討厭自己，最難以接受自己的部分，導致我們把它投射出去，不斷在別人身上看見它們。這就是陰影的形成過程。

我們應該要小心地拔除這些內在的刺，停止這個投射。只有如此，我們可以避免自己不斷被刺傷，並且不再去批判他人。一旦陰影可以被移除，批判就會停下來，而我們所有帶著強迫性的反射行爲也會終止。

7/18

There is a light within every soul; it only needs the clouds that overshadow it to be broken, for it to beam forth.

每個靈魂的內在都有一道光；只要遮蔽它的烏雲被打破，它就會散發光芒。

遮蔽靈魂之光的烏雲是什麼呢？

它是衆多事物的集成：自我源源不絕的慾望、執著，因此而來的恐懼、懷疑、焦慮、憂鬱，乃至絕望和孤立……。

我們被這些「烏雲」籠罩，忘記自己與生俱來的光芒，忽略自己是光的本質。

靈魂的光芒是你與神聖存在的連結，是你與永恆的盟約。只有這內在火光被點燃，眞正的智慧才能湧現，讓你分辨虛幻與眞實，而不被幻象迷惑。

哈茲若．音那雅．康所爲我們帶來的訊息，是充滿希望的。他堅定地相信，靈魂之光，是每個人都具有的神聖連結與本質，不分階級與貧富，只要透過覺知、靜心、淨化思想，每個人都有機會驅散遮蔽的烏雲，讓靈魂光芒四射。這個光芒不是文學性的象徵，而是由內而外發生的深刻轉化。

剎那間，一個人呈現的言語、行爲、習慣、甚至沉迷的事物，可能都會一起改變，這便是靈魂的啟發所帶來的力量。

7/19

The soul's true happiness lies in experiencing the inner joy, and it will never be fully satisfied with outer, seeming pleasures; its connection is with God, and nothing short of perfection will ever satisfy it.

靈魂的真正幸福在於體驗內在的喜悅，表面的快樂，永遠無法令它完全滿足；靈魂與神保持連結，除了完美之外，任何事物都難以令它滿足。

蘇非相信靈魂的起源是神聖的，每個靈魂是從永恆之光，分離出來的一縷光束。因此，就算這個世界提供五花八門的愉悅和刺激，它們所能帶給靈魂的快樂是短暫的，無法滿足它的飢渴。

只有回到內心深處，當靈魂意識到自己與神／唯一存在的連結，並且記起自己的本來面目，它才可以感受到持久的滿足與喜悅。同時，它在地球上的生命體驗才能找到目的與意義。

這裡所說的「完美」，是與神聖的理想校準而來的啟發。「理想」才是靈魂的宗教。因爲對於理想的渴求，督促靈魂找到前進的動力，想要在靈性上接近完美，實現愛、和諧與美的境界。而這也是與神（人類的理想）合一的境界。

7/20

Every blow in life pierces the heart and awakens our feeling to sympathize with others; and every swing of comfort lulls us to sleep, and we become unaware of all.

生命中的每一次打擊，都會刺痛我們的心，喚醒我們同情他人的感覺；而每一刻的安逸，都會讓我們沉睡，使我們對一切渾然不覺。

「如果靈魂被喚醒了，那麼它是如何被喚醒的？ 又是誰在喚醒它呢？」哈茲若．音那雅．康提出這個有趣的問題。

然後他說：「我們看到，大自然醒來的時間是春天。」春雷隆隆，讓大地從漫長的冬天，醒來，這是「驚蟄」！

那麼靈魂的春雷是什麼？ 可以把靈魂驟然喚醒的自然動力是什麼？

他說，是「掙扎」。

當春雷隆隆，大地不得不甦醒，土壤中沉睡的種子全都被震盪而蠢蠢欲動，努力掙脫包裹它們的硬殼，想要發芽。當生命的打擊劈開你的心，你會不安、煩亂，想要解脫、釋放，重獲自由。

因此，生命突如其來的變故，雖然是殘忍，令人驚嚇，然而，它經常是讓靈魂驟然覺醒的契機，將帶來意外的成長與轉化。

由於打擊所帶來的掙扎，將改變一個人的眼界，加深他的見識，使他敏銳感受一切情感，而且，令他對周遭的事物，更加悲天憫人。

7/21

A study of life is the greatest of all religions, and there is no greater or more interesting study.

對生命的研究，是所有宗教當中最博大精深的一支，而且沒有比這個更偉大或更有趣的研究了。

生命是一所學校，我們每個人都是學生；我們透過自己的經歷，以及對周遭的觀察來學習。

如果失敗了，我們可以睜開眼睛，看看自己是怎麼失敗的，反觀我們的思想、言語或行動如何導致這個後果？ 那麼我們就能夠透過意志力，來避免犯同樣的錯誤。

我們透過別人對自己的仁慈或殘忍來學習，也透過感受到的失望、心碎、喜悅、勇敢來學習。人生的一切遭遇，都是生命給我們的珍貴教材。

從自己或別人的受苦，我們學到許多事，這些並非書本能教你的事。唯有自己踏上旅程，一步一腳印，行經生命的荒漠與幽谷，我們才真正認識自己，知道如何展望生命的脈絡與紋理。

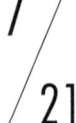

7/22

We can learn virtue even from the greatest sinner if we consider him as a teacher.

如果我們將最大的罪人視為老師，我們甚至可以從他身上學習到美德。

這句話，提出一種生活的態度：我們如果能夠把生命當成一個大教室，那麼我們的遭遇，經歷，遇見的人……，一切都將是我們學習的對象。

就算是被社會上認爲一無是處的罪人，假使我們有足夠的謙卑，不急著去批判他們，我們便可以在他身上借鏡，看見造成他行爲的原因，甚至發現他隱藏的美德，也許他所展現的是這個美德被扭曲的結果。

這個生活的態度，可以說是祈禱的延伸。怎麼說呢？

如果一個人的心是虔誠的敬拜著神／唯一存在，那麼，他在生活中的每一刻，都會感到神與他同在。既然，萬物都是神的創造。就算是罪人，即便他犯錯，而且極度不完美，他本質中，依然有著那一縷神聖的光芒。

以這樣的態度去面對生活，便是祈禱的延伸，因爲這個人的態度體現了神聖的臨在。

7/23

Warmth melts, while cold freezes. A drop of ice in a warm place spreads and covers a larger space, whereas a drop of water in a cold place freezes and becomes limited. Repentance has the effect of spreading a drop in a warm sphere, causing the heart to expand and become universal, while the hardening of the heart brings limitation.

溫暖使事物融化，而寒冷令事物凍結。一滴冰在溫暖的地方會融化並擴散，覆蓋更大的範圍；而一滴水在寒冷的地方會結成冰，並且被侷限。悔改的效果就像是一滴水在溫暖的環境中擴散，會讓心擴展而涵融一切；然而心若是變得僵硬，則會帶來限制。

有時候我們冒犯了朋友，卻忽視或不承認自己讓朋友受傷，對自己的言行毫無悔意，這就等於在友情撒入冰塊，讓關係瞬間凍結，使朋友的心變得寒冷，心的能量受限而不再流動。

所以，就算不小心冒犯了別人，只要願意覺察認錯，向對方表達悔意，這個心意會讓朋友感受到愛和重視，使他凍結的心被融化，讓心的能量可以再度延展，並且恢復活力。

懺悔所帶來的轉化效果，就如同提供一個溫暖的地方，讓冰融化，並向周遭擴散，覆蓋更大的面積。

懺悔的力量，讓兩顆心重新連結，化解孤立與冷漠，讓心再度湧現愛、慈悲與理解。

懺悔與寬恕是一體兩面，互相提攜；就如觀音的楊枝甘露，灑向人間，淨化執念，洗滌眾生的煩惱。

7/24

There should be a balance in all our actions; to be either extreme or lukewarm is equally bad.

我們所有的行動都應該保持平衡；極端或冷漠都同樣不好。

這段話想說的是「平衡」。

哈茲若·音那雅·康說：「生命的全部祕密在於平衡。」

我們內在通常有兩股力量在交戰：愛與理性。如果只有愛，沒有理性，我們會陷入麻煩；如果只有理性，沒有愛，我們會變得冷酷。

神祕主義者認爲保持平衡非常重要，然而，他更重視寬容。因此，他並沒有列出一套守則，要大家遵守。

他提倡每個人應該根據他們的進化和觀點，擁有他們自己的原則。原則不是一成不變的東西，原則會隨著一個人對事物的理解而改變。

只要是讓一個人能夠保有平衡的事，就是對的事。譬如：有人發誓不殺生，他會小心翼翼，甚至不傷害一隻小蟲子；然而有人會拿起武器，爲了捍衛家園和族人，不惜射殺他人。這兩個人是根據他們各自的觀點，所形成的不同原則在行動。

採取行動時，重點在於，它是否合乎你的原則？ 你內心對這個行動是否感到自在？ 因爲如果行動違反你的原則，你就會失去平衡。那就是錯的事。

相對之下，就算全世界都說你這麼做是錯的，只要它是合乎你內在的原則，你感到這是對的事，那麼，它對你就是對的。

如果能夠了解在行動中保持內在平衡的重要性，不陷入極端主義，也不冷漠退縮，讓愛和理性都有它適當的位置，我們就體現了生命的奧義。

7/25

Our spirit is the real part of us, the body but its garment. A man would not find peace at the tailor's because his coat comes from there; neither can the spirit obtain true happiness from the earth just because his body belongs to earth.

我們的精神是我們真實的部分，身體只是它的外衣。一個人不會因為他的外套來自裁縫那裡而在裁縫店找到平靜；同樣地，精神也不會僅僅因為它的身體是來自地球，而就從地球獲得真正的幸福。

凱撒大帝的名言：「讓凱撒的歸凱撒，上帝的歸上帝。」說的就是這個道理：一旦肉身死亡，化爲塵土，它就回歸大地。然而，精神不死，靈魂不滅。當我們在地球的生命來到盡頭，肉身與精神將分離，精神會回返源頭／唯一存在，與神聖的靈再度融合，那是靈魂的起源，也是它的家。

靈魂眞正的居所，是永恆的寧靜。因此，靈魂的本質總是嚮往和平。

人世間的紛擾或爭鬥，物質世界的獲得或失去，如浮光掠影，都是短暫的變動，並不會影響靈魂的本質，而且靈魂難以從物慾的滿足，獲得眞正的快樂。

然而，這並不表示「身體」這個外衣不重要。「身體」是我們在地球上的器皿，是我們行動和達成生命目的的重要載體，不管是對於外在或內在的身體，我們都要經常淨化它，善待它，因爲它是靈魂的殿堂。

我們的靈魂和身體意識總是不停地互相交流；我們的想法與感覺，會直接影響身體的強弱，在精神上無法整合的經驗，也會囤積在身體的某些部位，造成疾病或阻塞。

7/26

Every purpose has a birth and death; therefore, God is beyond purpose.

每個目的都有它的誕生和死亡。因此，神／唯一存在是超越目的的。

從小到大，我們會給自己設定不同的目標。有的是短程目標，譬如減肥、進入校隊、參加比賽、考上大學……，有些是長程的目標，譬如改造體系、建構生態環境、寫一本書……。

有時達成一個目的會把我們導向另一個目的。有時在經過多年之後，我們才能把點連接起來，看到線或是面，看見所有目標之下，隱藏著更大的目的。每個目的都有其週期，其誕生和死亡。並且，目標會隨著人的意念而改變，受限於時間和空間。

所有被個人創造出來的目的，都對整體生命做出了貢獻。神是造物主，是一切生命的起源，因此祂不被侷限於任何目的的誕生或死亡，祂超越建構與瓦解的現象。神／唯一存在是永恆的存在，祂無所不在；神聖的意志超乎人的想像與理解，人很難透過有限的生命去理解無限的意義。

由神的意識之中，誕生了所有人的意志與目的。如果每個人能夠認知到：在個人的意志之上，還有更高的神聖意志在統籌這一切。我們儘管可以設立目標，卻也臣服於更偉大的安排，就算那是我們暫時無法理解也無法掌控的原因。

這個臣服，讓我們對於「該如何抵達目的」，或是「最後的結果」不再執著，因此卸下重擔與煩惱，無論事情如何發展，總能夠返回內在的平靜與自在。

7/27

Belief and disbelief have divided mankind into so many sects, blinding its eyes to the vision of the oneness of all life.

信仰與不信仰將人類區分成如此多的教派，蒙蔽了人類的眼睛，看不見所有的生命是一體的。

蘇非認爲眞正的神是全世界的神，不是隸屬某個國家或教派的神。神會存在任何敬拜祂的屋子裡，就算人們站在街上祈禱，對祂也沒有任何差別。只要是神被敬拜的地方，那地方就是聖所。

不管我們使用什麼名字稱呼神，阿拉、上帝、玉皇大帝、布哈瑪、八關……祂都絕不會被我們賦予祂的名字限制。我們不必對他人的宗教抱持偏見或輕視，反而是尊重每個人所信仰的宗教。

蘇非的神學觀是寬容並且相當理性的。假使每個宗教都認爲他們所敬拜的就是獨一無二、全能而且無所不在的神，那麼世界所有宗教的神，定然是同一個神，不可能有其他的解釋。因此，所有的生命的起源是一致的，在深層意義上，我們確實是一體的。

因爲，神在所有一切之中，而所有一切都在神之中。

你在神之中，神也在你之中。

7/28

Spirit can only love spirit; in loving form it deludes itself.

神靈只能愛上神靈；如果神靈愛上表相，它就欺騙了自己。

中國人把形而上的精神體，區分爲精、氣、神，對應到英文，就是Essence，Energy，Spirit。

神就是Spirit。有趣的是神這個字，有豐富的含義：同時指向外在的神，以及內在的神。我們內在所具有的精神，就是我們靈性的本質，以及每個靈魂的「神性」。

當你愛上一個人，如果你是受他的外表、他擁有的金錢、地位、權勢吸引，那對於你內在的神性會帶來的困惑與欺騙。因爲這些外在的東西，短暫易逝，當一個人對於這些並不持久的東西，產生執著和迷戀，結果必然是導致失望、幻滅，以及自我懷疑。

因爲眞正吸引一個人內在神性的，是另一個人內在的神性，不是他穿搭的衣服或容貌。當一個人閉上眼睛，感受他的精神是被另一個人的精神吸引著，這當中有無聲的交流，如電光火石，點燃兩顆心。這樣的愛將會超越時空，帶來滋養、歡喜，並且提升你的能量。

當一個人內在的神性被看見、被理解，並且被接納，你會更確信自己存在的價值，與美好的一切調頻共振。

7/29

To love is one thing, to understand is another; he who loves is a devotee, but he who understands is a friend.

愛是一回事，理解是另一回事。能夠愛的人是個奉獻者，然而能夠理解的人是個朋友。

這段話，在原文裡，是有一個脈絡的。但是這裡只擷取一句話，令人不容易明白它的宏觀旨意。

在人類歷史當中，不同的時間或地域，會誕生帶來靈性訊息的使者。這些使者總會出現在世風毀壞、衆生受苦的時代；他們帶來超前時代的教導，可以匡扶導正，帶給人們看待生命和事物的新觀點。從這個角度而言，佛陀、耶穌、克里須那、穆罕默德，這些人都是爲了替唯一存在傳遞訊息，而下凡誕生的使者，也是先知。無論在什麼朝代，在什麼地方，這些人所帶來的教導總是不約而同地穿透人心，帶來長遠而且廣泛的影響。

眞正的訊息，來源都是唯一存在。不管它在什麼年代出現。所有的先知，無論是用什麼語言，他們想要講述的都是合一的訊息。

然而人們經常不明究理，把使者當成神來崇拜，緊抱著使者的名稱和形象，卻忘記去理解他們所留下的教導眞正的含義。如果今天耶穌或佛陀再世，穿上現代的服裝，出現在你面前，有了不同的名字，我們還會認得他們嗎？

能夠敬愛使者的人是奉獻者，然而能夠理解他們的教導和訊息的人，才是他們的朋友。只有朋友，能夠幫助他們把重要的訊息，繼續傳遞下去。

7/30

Among a million believers in God there is scarcely one who makes God a reality.

在信奉神的百萬人當中，幾乎找不到一個人能夠讓神成為真實。

如果我們學會傾聽內在的聲音，就會發現，不同宗教的經文，其實是同一個聲音在說話。僅有少數人聽見那個聲音，大多數人只看見表面的字句。

就像是當我們走入自然，看見樹木，大多數人會看見樹枝，僅有少數人會注意到腳底的樹根。

所有教派的經文，都是教導人們如何觀想神、敬拜神，這麼做其實是爲了達到同一個目的，就是實現「與神合一」的境界。在合一當中，蘊藏著光明與幸福、帶來人生的引導。這個主題，其實反覆出現在衆多經文當中。

《聖經》說：「我們的生活、行動和存在，都在神之中。」《可蘭經》說：「不僅在不可見的事物，而且在可見的事物裡，都存在著一股潛在的電流。」這些所描述的都是萬物「合一」的本質。印度的吠檀多，幾千年來的祈禱和咒語，所闡述的就是：「合一，萬物一體。」

當我們的受想行識都在神之中，讓合一的精神在生活中體現，也就是讓神成爲眞實。

7/31

The soul feels suffocated when the doors of the heart are closed.

當通往心的門被關上，靈魂會感到窒息。

在什麼情況下，心門會被關上？ 如何才能夠打開心門？

哈茲若 · 音那雅 · 康說：「當你想把一樣東西據爲己有，不願意分享，你說『這是我的』。心門就關上了。然而，當你樂意分享你的好東西，你說『這是我的，也是你的』。心門就會打開了！」聽起來很簡單，要做到卻不容易，需要把心調頻到正確的音高，心才不會荒腔走板。

蘇非認爲思考的心和情感的心是來自同一個地方，只不過思考的活動是在心的表面，而感受是來自心的深處。這和中國人說的「心思」，其實異曲同工。蘇非極爲重視培養心的品質，強調一個人想要獲得靈性，必須透過心，於是，心的調頻，成爲最重要的練習。

曾經是印度最偉大的樂手，哈茲若 · 音那雅 · 康擅長以樂器的調音，來類比心的調頻。他說：「當一把樂器被恰當調音，你不需要演奏音樂，只要輕輕一撥彈，就會感受到來自它的巨大磁性。如果一個調好音的樂器能擁有那樣的磁性，那麼，被調好音的心應該擁有更大的磁性。」

當心被調頻到它恰當的音高，它就如同一把美麗的樂器，散發巨大的磁力，吸引人們前來聆聽它、靠近它。分享是靈魂自然的狀態，讓它感受到滿足與快樂。

AUGUST

8/1

Understanding makes the trouble of life lighter to bear.

理解，讓生命中的煩惱變得更容易承受。

導致我們痛苦的原因，多半來自我們無法理解。

這麼多的情況和這麼多的人，讓我們難以忍受，因爲我們無法理解爲何他們會這樣？ 一旦我們能夠理解，也就能夠容忍幾乎所有的事。

想要眞正的理解，需要鍛鍊自己的穿透力，才能夠看穿遮蔽事物的層層表象，碰觸核心。

理解是無價的禮物。能夠理解別人的人，會帶給他人眞正的釋懷和開心，當你對著能夠理解你的人說話，你也就更能聽見你自己在說的話，內在的智慧自然地湧現。

我們生命中眞正親近的人，未必是你的妻子、先生或兄弟姊妹，而是最能夠理解你的那個人。他才是你在世界上最重要的朋友。

理解的祕密在於心。當心的耳朵和眼睛打開時，世上所有層面也就對你敞開。你將會察覺，每一個名字和每一種型態，都在不斷發散出跡象，讓你聽見，讓你看見，讓你回應，讓你詮釋。

「你生命的全部目的就是讓你自己準備好去理解，神是什麼、你的同胞是什麼、人的本質是什麼、生命是什麼。」——哈茲若·音那雅·康。

8/2

The same herb planted in various atmospheric conditions will vary in form accordingly, but will retain its characteristics.

同一種藥草，在不同的氣氛條件下種植，其形態也會因而有所不同，但無論它的型態如何變化，這藥草都會保留其特性。

橡實當中已經隱藏著橡樹的藍圖，無論在什麼氣候風土，就算有壯大或瘦弱的區別，它終究會長成一株橡樹，不會變成蘋果樹或樟樹。成為一棵橡樹是橡實的目的。

同樣的，人的內心蘊藏著生命的種子，有著它想要成長的目的。無論他遭遇什麼情境，這個種子都不會被摧毀，因為它攜帶者神聖的本質，只要一有機會，它就會朝著它的生命藍圖生長。

從另一方面來看，我們所成長的條件和環境，我們餵養自己的東西和精神食糧，我們呼吸的空氣，或暴露其中的氛圍，都正在影響著內在這顆種子的成長樣貌。

8/3

Think, before envying the position of your fellow man, with what difficulty he has arrived at it.

在你羨慕別人的地位之前，想一想他是經歷了怎樣的困難才抵達這個位置。

當我們經歷生命中的打擊，譬如：公司倒閉、婚姻破滅、大病一場或車禍失能……，大多數人都會認爲這些是不幸的經驗，帶來失敗、心碎、停滯不前。只有極爲少數人，會把這樣的打擊詮釋爲「使生命展開的條件」，它撕裂你保護的殼，好讓新的意識能夠誕生。

想想看，我們身邊有多少歷經驟變的人，他們本來可能是平凡而無趣的人，然而，生命的打擊改變了他們，他們歷經痛苦的心，引導他們對生命深思，而嶄新的意識也油然而生，使得這個人蛻變成有趣而且有深度的人。

眞正成功的人，都必然歷經過某些痛苦的打擊，他們的心被鑿深，使得內在深藏的寶藏出現，引領他們突破原本的境遇，開創出新的格局。

8/4

Life is what it is; you cannot change it, but you can always change yourself.

生活就是這樣；你無法改變它，但你永遠可以改變你自己。

大多數人都是想改變他人，讓自己舒服一些。但其實，我們無法改變他人，只能夠改變自己面對問題的態度和看法，讓自己釋懷。

當自我埋怨著：「這個人不應該如此對我！」「他怎麼對我這麼說呢？」或「他應該要爲我這麼做。」……，你要不斷回答他：「這有什麼關係？」

每次，當自我出現新的抱怨，你就對他說：「這有什麼關係？」——這是「粉碎自我」的練習。

如此這般，每次自我長出新的刺，你就覺察他，粉碎他。因爲這個刺若長大，會刺傷別人和自己，是不快樂的來源。我們希望自己慢慢開展成爲玫瑰，帶給別人快樂和芬芳，而不是長成玫瑰上的荊棘。

無論是靈性教導、尋求眞理，或是自我實現，最迫切需要的工作，就是自我的提煉。因爲同樣的自我，一開始是我們最頭痛的敵人，但如果獲得適當的注視、裁剪和提煉，最終將成爲我們最好的朋友。

8/5

Life is a continual series of experiences, one leading to the other, until the soul arrives at its destination.

生命是一連串持續不斷的經歷，一個經歷導致另一個經歷，直到靈魂抵達目的地。

靈魂選擇誕生在世界上，是來承受深具挑戰的一趟旅程。

雖然知道所有生命起源是一體，然而，當靈魂從無所不在的合一精神，發射出來，成爲一個光點進入肉身當中，我們就因此成爲個體。而成爲個體所產生的分離與孤獨的感覺，是靈魂爲擁有身體所付出的代價。

這趟旅程於是有了兩個層面，第一個層面是寄居在身體當中的靈魂，他是永恆不朽，他記得曾經和宇宙合一的感受；另一個層面是置身於世界、身而爲人的個體，所產生的慾望和羈絆，他不斷掙扎，想要獲得更多情感或物質的滿足。

人生活在世界上，始終是在追尋著什麼？ 自己並不清楚。他完成一個又一個目標，在顛覆他的風浪之間浮沉，但旅程的終點是什麼？ 他不清楚。感覺自己是被一路推著走到今天。

其實，靈魂眞正不斷在追尋的，是他所遺忘的自己：他既是踏上旅程的旅人，他也是目的地。

8/6

External life is the shadow of the inner reality.
外在生活是內在真相的影子。

生命的外在形式，是如此稠密而僵化，乃至於它的本質被埋藏在內。

這些被包裹在外表下的祕密，是生命精緻、美麗和神祕的屬性。

想要探索生命的人，往往從兩個相反的方向出發。一個從外部的形象去進行研究，他們所學到的是關於表象的知識，這些人是科學家；另一個則是進入生命內在去探討，想要了解隱藏在外表下的祕密，他們所學到的是神祕學，這些人被稱爲「祕士」（Mystic）。

由內而外的學習，會讓我們看見，外在的一切，都是源自內在的反射。因此，我們可以說，外在世界是如同影子一般的虛幻存在，只不過大多數人並不知道。

8/7

At the cost of one failure, the wise learn the lesson for the whole of life.

透過一次失敗，智者能學到對一生有幫助的功課。

我們經常看到那些成功的人會一直成功，而失敗的人會繼續失敗。爲什麼呢？

這跟他們的聰明才智其實沒有多大關係，也並非冥冥之中有個力量，特意讓不幸降臨在失敗的人身上。

從心理學的角度來看，這是由於成功的人對成功印象深刻，所以可以持續成功；而失敗的人對失敗印象深刻，因此將會一直失敗。正是這種悲慘、痛苦的印象，讓一個人一輩子被困住。

如果我們能夠善用「印象」的強大暗示性，在每次失敗或成功之後，都學到一些事情，凡事看得更深一點，探討理由底下的原因，那麼就算是失敗，它也會是我們最好的老師，而非敵人。

關於這一點，蘇非祕士的做法是：對於他討厭的事，他把它們從腦海裡刪除，盡量不去想它們。而對於快樂的時光和美好的經驗，他儘量搜集保留它們，如此，他讓自己在地球的生活，宛如在天堂。

學會刪除不好的印象，忽略不快的事情，可以幫助自己去蕪存菁，從生活歷練中，獲得養分，而不是糟糠。

8/8

The more you evolve spiritually, the further you pass from the understanding of every man.

當你的靈性愈進化，你對於每個人的理解就愈深刻。

當一個人的靈性尚未開啟，他們會以頭腦去理解別人，因此，他們看不到對方的靈魂，就算是最偉大的人來到他面前，他也無法辨識。

哈茲若·音那雅·康曾說這麼一個故事：有個擁有許多學位和哲學博士頭銜的人，跟他說話之後，讚嘆不已，認爲他太有趣了。音那雅·康以爲，如果連自己都令這個男人折服，那麼自己的老師肯定會令他五體投地。

於是他跟這個人描述了自己的老師，說他是獨一無二的老師，住在哪裡。男人說：「這個人我認識他已經二十年，他就住在我家附近，我並不覺得他有什麼特別啊！」

這個小故事說明，每個人僅能依據自己當時的靈性程度，去理解我們所遇見的人。而這個男人還沒能力辨識出音那雅 · 康的老師的智慧。

我們只能根據每個人的進化程度，和人們對話。對於還沒有準備好接受某些道理的人，不必強行拉他們一把，讓他們去吧！ 至少不必破壞和諧。

8/9

One word can be more precious than all the treasures of the earth.

一個字，可以比地球上所有的寶藏更珍貴。

話語具有把敵人變成朋友，或是把朋友變成敵人的魔力。

當你是透過心在說話，你的話會直接觸動他人的心；當你只是透過頭腦在說話，你的話便會從他人的左耳進去，右耳出來，很難在別人身上留下印象。

許多人對自己的直言不諱感到滿意，於是他隨心所欲地說話，並不介意那會對別人產生什麼效果。他們說的話像錘子一樣，敲在聽者頭上，結果並不可取。想想看，誰喜歡被錘子捶打呢？

這說明，我們不僅要考慮所說的話是否誠實，還需要考慮，說這句話的方式，會為對方帶來什麼影響？

我們所說的話，可以讓聽者的心變得更冷酷或是更溫暖，也可以讓人變得更沮喪或更喜悅。所以，我們都要小心我們說出口的話，以及表達的技巧。

那些懂得運用話語的化學作用的人，不需要藥品，因為他擁有治療世界任何疾病的藥物，不僅是身體的疾病，還有心理的暗疾。

8/10

Narrowness is primitiveness; it is the breadth of heart that proves evolution.

狹隘是心智尚未開化的狀態；心的寬度則是進化的證明。

當一個人爲了大多數人的幸福，而犧牲自己，他的行爲在以自我爲中心的人看來可能是愚蠢至極。然而，在前面這個人看來，只爲自己著想的人，才是愚蠢的。

究竟應該「犧牲小我，完成大我」，還是「人不爲己，天誅地滅」？這兩種天壤之別的態度，是來自對生命不同的理解，所產生的不同行爲。

一個人心的寬度，決定了他觀看世界的方式。

如果你領悟到自己是整體的一部分，而且萬物是共存共榮的，你會自然地以更大的整體爲考量，無私成爲你很自然的狀態。就算被別人冒犯，也不會計較，讓大事化小，小事化無。

因此，心的度量是一個人在靈性上成長的指標。

8/11

It is simpler to find a way to heaven than to find a way on earth.

找到一條通往天堂的路，比找到一條在地上的路更簡單。

《聖經》說：「只有靈魂重生，才能夠進入天堂的國度。」

這裡所說的「重生」，其實是指一個人的「覺醒」。當一個人沉睡著，他雖然過著日子，可是彷彿不曾眞正活著。然而，當一個人覺醒了，從那一刻起，他對世界的觀感就改變了，他會對一切都覺醒。他的眼睛和耳朵打開，看見前所未見，聽見前所未聞。

重生來自於：一個人誕生在地球之後，有天再度記得自己是誰；發現自己的本質。讓靈魂之光得以透過他的存在顯現。這一刻，他所行走的地球就成爲天堂。

這個重生的道路，其實並不難。只要我們能夠認知，雖然我們是大海分離出來的一個小水滴，然而，整個大海事實上都存在我們內心深處。

當神／唯一存在與你同在，一切都與你同在；當神／唯一存在，在你裡面，一切也就在你裡面。不僅是靈感、知識和光，你所需要的一切力量，和平與愛都在自身之中。

8/12

It is God, who by the hand of man, designs and carries out His intended plans in nature.

是神／唯一存在藉由人的手，設計並完成祂意圖在自然中實踐的計畫。

如何了解「神聖」這個語詞的含義？「神聖」意味著：完美的狀態。這個狀態是神透過人所體驗到的狀態。換句話說，當人的發展到達一個階段，他便成為神完美的工具。自我不再阻撓他，讓他可以直接感知源自內在的衝動。而這個精神就是「完美」的狀態。

哈茲若．音那雅．康以此詮釋了蘇非哲學最關鍵的兩個語詞，「神聖」與「完美」，而且這兩個狀態都需要人的參與，才能達成。

雖然，神／唯一存在，早已在大自然中，創造出許多美麗的事物：玫瑰的花瓣、蝴蝶的羽翼、貓咪的斑紋、蜜蜂的巢穴……。沒有任何人爲的機械式創造或模仿，可以媲美祂在大自然中的作品。

可是，當藝術家臣服於心流，成爲神的工具，讓他的眼睛成爲神的眼睛，雙手成爲神的雙手，耳朵成爲神的耳朵，他的身體成爲神的殿堂……；在如此美妙的融合之下，所呈現的藝術，便成爲神聖的表達，完美的實踐。

那是神藉由人在完成祂的藝術創作。

8/13

The lover of nature is the true worshipper of God.

喜愛大自然的人，是真正敬拜神的人。

蘇非認爲，在所有的經典之中，只有一本眞正的《聖經》，那就是「自然」。如果懂得怎麼閱讀自然，你便可以在每片葉子上，獲得啟發。

和其他被書寫在紙上的經典相較之下，自然是遼闊而深不可測的海洋，其他的《聖經》在自然面前，彷彿小池塘。自然是活生生的，神的手稿，不曾被人的思想汙染或竄改的經文。

蘇非的祕士，或者說，所有的神祕主義者，都喜愛走進自然去思索生命的奧義。那是他的麵包和酒，是滋養他靈魂的食糧。大自然洗滌他，提升他，帶給他靈魂所嚮往的孤獨。

8/14

In the country you see the glory of God; in the city you glorify His name.

在鄉野之間，你看見神的榮耀；在城市裡你榮耀神的名。

走入森林，仰望古木參天；徜徉草原，眺望野花斑爛；看朝霞暮靄月光海……。大自然當中，隨處可見的秀美和壯麗，都是神／唯一存在的佐證。

然而，在城市裡，沒有渾然天成的自然，必須透過人的努力和用心，把美、愛與光，帶入城市的各個角落。透過祈禱，沉思，調頻自己的心，讓神性透過你的氛圍散發。運用藝術和想像力，把晦暗的角落，改造爲美麗的空間，供人駐足；將斑駁的牆面更新爲動人的壁畫，創造公園和綠地，讓人休憩……，這些都是把美與光帶入城市，撫慰心靈。這一切都是榮耀神的另一種方式。

8/15

The pain of life is the price paid for the quickening of the heart.

生命的痛苦，是讓心加速覺醒所付出的代價。

爲什麼只有經歷痛苦或巨大的悲傷，才會帶來一個人的覺醒呢？ 快樂或享受的時候不行嗎？

這是因爲人的心只有在感受痛苦的時候才會眞正活過來，其他時候，人的注意力被日常事務纏繞著，只活在很膚淺的地方。即便宇宙天天傳遞訊息給你，你多半是無視於它，也看不到它所給你的跡象。

但是，當痛苦的事情發生，它迫使一個人的感受刻骨銘心。由於變故，由於震懾，一個人開始尋求生命的答案。

我們經常會在身邊的人身上看到這樣的例子。有些人原本的性格是膚淺而令人難以忍受的，然而當他經歷痛苦的洗禮之後，他的性格產生蛻變，對生命的頓悟使他變得深刻、體貼而吸引人。

深度心理學家科貝特（Lionel Corbett）認爲，每個人的受苦經驗都是獨特的。有些痛苦可以緩解、有些需要撫慰，有些需要臣服，有時候還需享受痛苦。藉由梳理痛苦，涵融痛苦，可以引領我們洞見痛苦中的轉化力量。

8/16

Words that enlighten the soul are more precious than jewels.

啟迪靈魂的言語，比珠寶更珍貴。

在世界上，一切有價值的東西當中，語言（文字）是最珍貴的。你可以發現，有些語言所散發的光芒，比任何鑽石和珠寶更耀眼。」哈茲若·音那雅·康十分推崇語言的力量，他認爲一個字，就可以撫平心的創傷。而且，「當一個靈魂在一首詩中表達自己，這首詩就被賦予了生命，像是一個活生生的人。」

有些想法，比珠寶更珍貴，因爲它們具備啟迪靈魂的力量，能夠打開你內在通道，讓靈魂被看見，被激勵，散發光芒。

反之亦然。如果一個人不懂得表達的藝術，他的話語充滿刺耳的字眼或批判，讓別人的心沉重不舒服，只想遠離他。就算他立意良善，然而，他的表達方式已經損毀他的善意，帶來相反的效果，甚至關閉了靈魂交流的通道。

8/17

Love is the current coin of all peoples in all periods.

在任何時期，愛都是所有民族的通用貨幣。

無論一個人在生命中的什麼階段，是嬰兒、少年、成年、老年，愛總是被需要、被渴求的。愛是所有的人生命中不可或缺的養分。

因此，愛是生命中最有價值的東西。當一個人能夠獲得無私的愛的滋養和幫助，隱藏在他靈魂中所有美好的、高貴的特質，都會湧現並且綻放。然而，當一個人的內在有許多美好的特質，而且他非常聰慧，但是他的心是關閉的，愛無法流動，那麼，他所有的美好，都無法顯現。

有些人誤解了愛。當一個人說：「如果你愛我，我就會愛你。」這不是愛，是交易。有許多人，由於害怕受傷，寧可不愛。更有人怕自己愛得比別人多，會吃虧。這些擔憂和附加條件，都不是真的愛。

愛是無私的，無法被計量的。眞正的愛人，眼中只看見他所愛的人，其他的一切對他而言都不重要。

8/18

Do not take the example of another as an excuse for your own wrongdoing.

不要拿別人的例子，做為自己做錯事的藉口。

大部分的人急著以自己的觀點去批判別人，同時下意識地掩蓋自己的過錯。很少有人把注意力放回自己身上，去要求自己，反省自己的缺失。

如果我們能夠停下來，從別人的觀點，去看他行爲背後的動機。我們所見的好壞或對錯，可能會大大改觀。

我們可以把人生看作一所大學，而我們是永遠的學生。生活中的遭遇和周遭的人，都是我們的教材和老師。一切是來幫助我們更理解生活，也更認識自己和別人的。 我們向喜歡的人學習，也向不喜歡的人學習。痛苦、心碎、快樂、迷醉……，這些感受，也都是我們的學習對象。

智者會避免評論別人，或是表達他的意見。無論如何，他知道自己所見，僅是部分眞實，沒有絕對的對錯。就算看到別人做錯事，只會令自己警惕，不會去批判。

8/19

Overlook the greatest fault of another, but do not partake of it yourself in the smallest degree.

忽略別人最大的錯誤，但提醒自己，即便是最小的錯誤，也不要犯。

這個訊息，分兩部分。忽略別人的錯誤，是智者會做的事。就算看到別人的錯，智者也不會去批評，他們會盡可能留意，不要讓不喜歡的印象進入自己的心。對於別人的批評或接收到的負面印象，他會盡可能地忽視，這是保護珍貴的內心，淨化心智的必要措施。

我們一般人，包含動物在內，都有生物本能，會想保護自己的心不受傷，因爲心臟是統整一切的維生系統，這是外在的心。

然而心的內在層面是更重要的，它主導一個人的存在品質。智者知道，一旦允許你不喜歡的印象烙印在心中，會帶來什麼危害。我們大概都經歷過這種「危害」，譬如：某人對你說的負面話語，或是媒體上的恐怖畫面，在你內心反覆播放，帶來自責、憤怒或是恐懼的心情。因爲這些印象，在你不自覺之下，已經烙印心中，正在全面影響著你的生活。它所帶來的傷害其實很巨大，會加重身心的負擔，甚至讓靈魂晦暗無光。

同樣的道理，我們也要小心，不管做什麼或者說什麼，不要對別人造成傷害。一旦我們傷害了別人的心，就等同於在他的存在烙下負面的印象。

佛陀說不要造業，就是這個道理。

8/20

Cleverness and complexity are not necessarily wisdom.

聰明和複雜並不一定是智慧。

人們通常崇拜複雜的東西。太輕易獲得的知識，他反而不會珍惜，認為那沒有什麼價值。因此，人們以這樣的態度追尋靈性的成就。

如果你告訴他，需要到遠方、深山、上窮碧落下黃泉才能獲得靈性的啟發，他必欣然前往。如果你告訴他，他必須抄經一百次，繞著寺廟走一千次，才能獲得救贖，消解業力，他也會照著做。如果一個東西令他困惑，他會因而更被吸引，想要解開謎團。

眞理很簡單，也許因為太過簡單，所以少有人能夠獲得。

其實，簡單就是美。我們生命中最重要、最美、最有價值的東西，通常很簡單。所有事物最簡單的地方，隱藏著神聖的眞相。眞理並不是教條、理論、或是想法。眞理就是它本身。

人一直在追逐的眞理，就在自己裡面。如果能夠找到自己，發現自己，認識自己，就是一個人眞正的靈性成就。

8/21

The whole world's treasure is too small a price to pay for a word that kindles the soul.

全世界的寶藏都不足以換取一句點燃靈魂熱情的話語。

如果火沒有被充分點燃，那麼它只會產生嗆人的煙，並不會有光。

靈魂也是如此，當靈魂被話語激勵而充分燃燒，它將散發耀眼的光芒，照亮他前面的路徑，他也驟然可以看清周遭的世界。

因此，一個被點燃的靈魂，他的力量遠勝過千萬個在黑暗中摸索的靈魂。

當我們真的懂得如何以話語，點燃別人的靈魂，那樣的話語是無價之寶。

8/22

He is living whose sympathy is awake; and he is dead whose heart is asleep.

如果同情心是覺醒的，那麼他真實地活著；如果他的心還在沉睡，那麼他彷彿死去。

通常一個人必須經歷過痛苦，心才會覺醒，也才能擁有關於痛苦的知識。由於自己曾經有過類似的處境，因此充分理解別人的煎熬；這時候，他便能夠設身處地感受別人的感受，同情也油然升起。

不曾經歷痛苦的人，很難理解別人的痛苦。他的心就如同一顆石頭，尚未覺醒，無法開啟；「同情」對於他是十分陌生的概念。這樣的心，就算還跳動著，從靈性的層面來看，雖死猶生。

一個人的同情心，是他覺醒的證明。覺醒的心無需透過言語，而是透過感覺的波動，把情感的支持傳遞給另一顆心。

人的心中，有許多神聖的屬性，譬如：感激、仁慈、讚美⋯⋯。但是沒有什麼比同情更偉大的屬性。在人散發同情的時候，神性也在人的身上展露無遺。

8/23

By our thoughts we have prepared for ourselves the happiness or unhappiness we experience.

透過我們的想法，我們為自己準備了幸福或不幸的經驗。

我們的思想是造就一切情況的根源；快樂或悲傷，愛或痛苦都奠基於我們的想法。

天堂和地獄可能是同一件事，是我們的想法對經驗的詮釋讓感受迥然不同。不論我們是感受到絕望憂鬱，或是快樂幸福，如果我們看得更深一點，就會發現，這一切感受的底下，依然是想法在運作。

你或許聽過一個故事。有一個皮鞋公司，派出兩個員工到非洲去做市場考察。一個員工說：那裡沒有市場，因爲沒有人穿鞋子，大家都打赤腳。另一個員工說：那裡是深具潛力的市場，因爲大家都還沒有鞋子穿。

當然，沒有人會故意讓自己墜落煉獄中，如果能夠選擇的話，大家都想要待在天堂般的處境。有時候，正是這種極力想要待在「天堂」的想法，讓我們執著於美好的經驗，當生活不如所願，或是美好無法被複製，立刻就被失望打擊。

只不過，大多數人無法覺察造就快樂或是不快樂背後的想法。

如果我們記得自己多年來持有的念想，就會發現正是這些有意無意的想法，連串起來，悄然劃出命運的軌跡。

現在是來自過去的投射，而我們正在經歷的此刻，將會創造未來。因爲未來只不過是現在的回音。

命運不是已經被決定好的路線，命運是我們正在開創的路徑。不要允許自己再被宿命論玩弄了，我們每個人都是自己命運的主人。

8/24

Put your trust in God for support and see His hidden hand working through all sources.

信任神的支持，並看到他靈活運用一切資源的隱藏之手。

《聖經》說：「你們首先尋求神的國，然後，所有這一切都會給予你們。」意思是：讓自己先與永恆的神性調頻，前往和諧、愛與美的境界。然後你便可以獲得你個人所渴求的一切。

從榮格心理學的觀點而言，信任「神的支持」，可以理解爲信任包涵心靈整體的，集體無意識和意識；又稱之爲「大我」(Self)。「大我」會透過事件、有意義的模式，和共時性，給予每個人指引來推動他前進，就像是來自於神／唯一存在的啟示。

無論是從蘇非哲學，或是榮格心理學來看，讓個人的意識與神聖的意識協調一致，建立信任關係，都是非常重要的靈性基礎。

這個信任讓一個人能夠獲得無形力量的支持，就如音那雅·康所說：「如果道路封閉了，祂會爲你打開；如果你欠缺方法，祂會將方法顯示給你。如果你距離目標太遙遠，祂會把它吸引過來引起你注意。」

有了對生命的信任，無論發生什麼事，都可以接納，並且懷抱希望，不再恐懼。

8/25

Faith is the A B C of the realization of God; this faith begins by prayer.

信任是理解神／唯一存在的基礎；信任從禱告開始。

信任不同於信念。信念是透過學習而得來的，然而信任是源自內心的「知道」，是直覺的一部分，不是透過邏輯推演或分析而取得。

在蘇非的教導中，人與神／唯一存在的關係至關重要，是通往靈性覺醒的第一課。

因爲，如果一個人眞心地相信有這麼一個存在，祂集愛、美、偉大與和諧於一身。而且，這個信任持續下去，這個人每天禱告，與神交流，逐漸地，信仰就會誕生。

這個一開始是源自「想像神的存在」而來的信任，最後，眞的將神的臨在帶到人的面前。而且，神奇的事發生了，神性從此在這個人的心中覺醒。

當他禱告的時候，神就與他同在，不管走到哪裡，他不再孤單。對他來說，神並不在遙遠的天堂，而是離他很近，就在他面前，甚至住在他心中。

從此，這個人禱告所說出的每個字，便被賦予生命，可以帶給自己和周遭的人無限的祝福。

8/26

Passion is the smoke and emotion is the glow of loves fire; unselfishness is the flame that illumines the path.

當愛之火燃起，熱情是它的煙，情感是它的光；無私是照亮道路的火焰。

對於愛，哈茲若·音那雅·康賦予它非常詩意，而且饒富層次的描述，他說：

> 當生命力作用在靈魂，就是愛；當生命力作用在心中，就是情感；當生命力作用在身體，就是激情。因此，每個人會根據他最能夠意識到的層面來表現，最有愛心的人是最情緒化的，而最情緒化的人也是最熱情的。如果靈魂覺醒，他就會滿溢愛心；如果內心覺醒，他就會情感豐富；如果他身體覺醒，他會煥發激情。這三者可以被描繪為火、火光和煙。當愛在靈魂中時，它是火；當心被愛點燃時，它成為火光；當它透過身體顯現時，它像是煙。

雖然，俗語說：「愛令人眼盲。」真正的愛，其實會帶來更深刻的「知見」，不僅你會更深刻看到世界，它也會照亮周遭的一切，點亮別人的心，使別人的道路更爲清晰。因此，眞正的愛是無私的，它不會強迫其他人依照自己的意見去做，或以愛之名執行操控。

當愛是有條件的，就如同火沒有被點燃，於是沒有火焰，只會冒煙；這就如同一個人，無論他說他是愛著人或神，他終究只愛自己而已。

然而，一旦愛是無私、是奉獻，它以熱情燃燒時，就可以點燃內在的智慧，照亮別人的心。如火炬一般，驅散黑夜的迷霧，爲旅人照亮前面的道路。

8/27

The soul of Christ is the light of the universe.

基督的靈魂是宇宙之光。

這不是一句單純歌頌基督的話語，它的重點在於「基督的靈魂」是宇宙之光。當耶穌誕生在世上，開始傳遞他的教誨時，他不是說：「我來這裡，是爲了要給你們一個新的宗教。」他說：「我來這裡，是爲了完成之前已經給你們的律法。」換句話說，他是來解說之前已經被傳遞，但不被世人了解的道理。

耶穌基督以「神的兒子」之身分，傳遞訊息，帶來傳承的正當性。到了穆罕默德，他稱自己是「上帝的僕役」，因爲民主的觀念萌芽了。摩西施行神蹟，讓當時需要神蹟才能相信的衆人，跟隨他。大衛使用音樂，傳遞神聖的精神。佛陀悟道之後，傳道時，總是放射光芒，以開啟衆人的智慧。

神／唯一存在，被不同宗教，賦予不同名稱。祂在歷史上的不同時代，派遣對當時的文化最恰當的先知降臨世間。透過他們在世人面前所展現的光、生命力、智慧的話語，啟發那個時代的人們，帶來不容置疑的靈性教導。

當基督說：「我是最初也是最終，我是開始和結束。」(I am Alpha and Olmega.) 他所指的不是他自己這個人，而是透過他，在他體內運行的這個「主靈」(spirit)。這個造就一切生命的精神力量，藉由不同的先知，帶給世間啟發與祝福。

因此，不僅是耶穌基督，歷史上所有的先知，他們的精神全都是來自宇宙之光。只不過，世人執著於名號和形象，反而膜拜先知，卻無視於造就先知的光。

8/28

Death is a tax the soul has to pay for having had a name and a form.

死亡是靈魂由於擁有名字和形體所必須繳納的稅金。

所有建構的東西，都終將解構；所有組成的東西，都會分解；所有形成的事物，都會毀壞。有誕生就必然有死亡。

我們的身體是靈魂爲了來到世上完成他的使命，所借貸的一件外衣。這件外衣的成分都是來自物質世界，靈魂被包裹其中。有朝一日，當靈魂覺得他的使命已經達成，時間到了，他就必須歸還這件「外衣」。

當他歸還他在地球所借來的身體和附著在身體的名字，靈魂就被釋放，重新獲得自由。身體會消殞，被地球吸收同化，還原爲物質，但是靈魂不會死亡，它會繼續他的旅程。

8/29

A pure life and a clean conscience are as two wings attached to the soul.

純淨的生活以及清澈的良知，就像是靈魂的兩只翅膀。

所謂的純淨，指的是不要讓你的靈性被世俗的價值汙染，你可以透過不斷地覺察，消除無益處的印象，來淨化你的思維；放下貪嗔與執著，淨化你的心；吃純淨的食物來淨化身體。同時，努力回歸自性，記得自己的本質。

當這樣的純淨可以在生活當中實踐，你的良知必然是清澈的。所謂「清澈的良知」意味著，一個人能夠自我反省，就自己的過錯，尋求寬恕，不被偏見、批判、二元對立的思想綑綁，讓自己回歸內在的平靜與清晰。

以這樣的態度生活，靈魂便與內在的神性同頻，得以展翅翱翔。

8/30

The giver is greater than the gift.

給予者遠超出他所給的禮物。

有一天當我們發現，我們會因爲帶給別人快樂，而感到開心；讓別人心情愉悅，而感到愉悅美好；看到別人吃飽了，比自己吃飽還滿足；給予別人幸福時，比去達成自己的願望更幸福……，當這個態度出現時，你的進化就跨入到另一個階段了。

「給予」和「討好」截然不同。如果爲了討好而給予，我們就會期待得到對方的回饋或報償，報償可能是讚賞、愛或其他實質的東西。若是沒有獲得期待的報償，我們就會失望而感到怨憎。

到頭來，我們得到什麼，其實無關緊要；我們給出了什麼，才算數。

8/31

He who has spent has used; he who has collected has lost; but he who has given has saved his treasure forever.

花錢的人用掉他的錢；搜集的人迷失自己；然而給予的人，永遠保存了他的寶藏。

經常聽到身邊有人說，他要努力賺錢，好讓自己永遠不匱乏，想要什麼，就可以買什麼。這便是許多人以爲的「經濟自由」。於是，這個人拚命工作，沒有時間陪伴家人。的確，他賺了很多錢，事業成功，買了幾棟樓房，積聚許多財產。然而，他因爲內在的匱乏感，成爲金錢的奴隸，他的靈魂並不「自由」；他和家人關係疏離，得不到愛的滋養，導致情感更深地匱乏。

花錢只是以物易物，帶來短暫的滿足；而搜集的人，最後會著迷於他所積聚的東西，反而迷失自己。最後，眞正能夠帶給一個人快樂的，是他的心，所有的寶藏都在那裡面。如果一個人無私地給予，快樂就儲存在他心中，讓他的心因此更加豐盛而美好。

SEPTEMBER

9/1

Joy and sorrow both are for each other. If it were not for joy, sorrow could not be; and if it were not for sorrow, joy could not be experienced.

歡樂與悲傷是為了彼此而存在的。如果沒有歡樂，就不可能有悲傷；如果沒有悲傷，也就無法體驗歡樂。

如果一個人沒有眞的體驗過痛苦，那麼他也可能無法眞的感受快樂，因爲痛苦會穿透一個人的心，延展心的深度。

要不是歷經痛苦的淬鍊，那些偉大的詩人、音樂家、夢想家或思想家，並不會抵達他們心靈的高度和深度，進而產生撼動世界的不朽作品。如果他們生命中一直都只有歡樂的體驗，便無法觸及生命的深處，難以創作出引發共鳴的作品。

我們需要一個事物的對立面才能凸顯這個事物的存在，它們就像是吸氣與呼氣。

如果我們能夠在痛苦的深處看見歡樂，在歡樂的高處看見痛苦；在成功的頂點，看見失敗，而且在失敗的谷底看見成功，生命便能夠脫離二元對立的無明，進入合一的曙光。

9/2

Self-pity is the cause of all life's grievances.

自憐是人生一切抱怨的起因。

一個人會自憐，是因爲他的心思沒有別的，只有自己，他最經常想到的是自己，看不到周遭的人或世界有許多更加可憐的人，於是他無法同情別人的遭遇，覺得自己最可憐。

自憐來自於一顆狹隘的心，他對於一切都可以找到埋怨的地方。每個人都遇見過這樣的人，他會訴說自己悲慘的境遇，對你傾倒「垃圾」。沒有人喜歡和這樣的人在一起，因爲他充滿自我，很難替別人著想、聆聽別人，或是眞正地關心別人。

當一個人開始以自憐的口吻敘述自己「如何如何……」的同時，他並不知道，他正在削弱自己，把自己縮小，成爲一個更加匱乏的人。而他的態度，阻礙他在人生的旅途前進。

9/3

How can the unlimited Being be limited? All that seems limited is in its depth beyond all limitations.

無限的存在怎麼可能受到限制呢？一切看似有限的存在，在其最深處依然超越了所有限制。

人是有限的存在，受時間和空間限制，因此，對於很多事情，人們依據他受限的經驗，便認爲是「不可能的」。而神／唯一存在是全能的、永恆的、無所不在的，對他而言，一切都是「可能的」。

事實上，人和神是緊密相連的，人和神之間有一條線，線的一端是人，另一端是神。這條線是我們的精神。當人的靈魂意識到，他可以不被人格侷限，不被時空和業力桎梏時，他便能夠超越它們，上升到另一個水平，從更高的視野，審視帶給他限制的種種思維。

當靈魂透過這樣的自我覺察的練習，繼續上升到他能夠看見「所有的可能性」時，他肯定已經瞥見神。

9/4

Pleasure blocks, but pain clears the way of inspiration.

愉快會阻礙靈感，但是痛苦會清理通往靈感的路。

泰戈爾說：「當小提琴的琴弦在調音時，它感到自己被延展的疼痛，然而，一旦音色被校準了，它就知道自己爲什麼要被延展。」

靈魂也是如此。當他被痛苦折磨、煩惱，累積到一定程度時，暮然回首，他會明白，所有的坎坷，都是來促使他找到屬於自己的音高，以便能全然表達自己。

愉快會讓人自我感覺良好，但是痛苦抑制了小我，反而接駁了通往神聖靈感的道路，在接受自己脆弱的同時，靈魂開啟所有的可能。

世界上最動人的創作，都是來自被痛苦淬煉過的靈魂。

9/5

There is no source of happiness other than that in the heart of man.

人心，是唯一的幸福泉源。

世界上，很少有人知道幸福是什麼。

一般人都會往外去尋找幸福，以為令人愉快的、喜悅的事物就是幸福，然而愉快只是幸福的影子，它很快就消失。

眞正的幸福來自內在，取決於心的品質；而愉快卻必須依賴外在條件來獲得。幸福和愉快，happiness and pleasure，這兩者之間距離，就像是天和地一般遙遠。

如果一個人的心尚未被調音，尚未找到他適當的音高，他並不會眞的幸福。

幸福是由內而外的微笑，展露在一個人的臉上，以及他所散發的氛圍。就算他失去了頭銜、財富，他也不會失去他的幸福，因為他的幸福並不奠基於外在的事物。

9/6

Happy is he who does good to others; miserable is he who expects good from others.

能夠為別人做好事的人，會是快樂的人；一直期待別人為他做好事的人，會是悲慘的人。

眞正快樂的人，明白心的神祕運作。他善良無私、樂於助人，無論是撫慰、陪伴或是鼓舞他人，都是自然而然。他並不會一邊做好事，一邊想著如何在將來從這些人得到報償。

當一個人由心出發，就能夠觸及宇宙的一切。於是，當他鼓舞別人、幫助別人、給予愛的時候，他同時接收到這樣的能量。因爲，人心是世上最珍貴的寶藏。所以，當他滋養另一顆心，他便得到無比的快樂和滿足。

相較於前者，一直期待接收別人更多的好處和服務的人，對於他所接收到的一切，很少能夠心存感激。由於內在的匱乏使然，心裡的黑洞塡不滿，快樂和滿足距離他們十分遙遠。

9/7

One virtue is more powerful than a thousand vices.

一種美德強過千種惡行。

這裡說的美德究竟是什麼？ 可以令一個人具有一夫當關、以寡敵衆的氣勢？ 面對邪惡勢力集結，也不爲所懼。

其實，當一個人的內在眞我煥發光芒，就會帶來無與倫比的力量和勇氣。就如同過去歷史上的聖人或先知，他們的靈魂是帶著強烈的使命而來到人間的。他們選擇誕生在晦暗不明、混亂的時代，卻以心中的篤定，引導人類走向光明，走向神／唯一存有。每個人的本質都是神性。就算是死亡也不能奪走一個人的精神，精神是不朽的。

於是，當一個人接受內在神性的指引而激發的言行，必然是無私的；因爲無私，所以無懼。

關於這個，最好的例子是耶穌基督，他所教導的愛與寬恕，讓所有追隨他的人，心中都得到救贖，更使得神和人恢復緊密的連結，而且人所有的罪都被赦免。除此，還有佛陀在菩提樹下的深思，爲了大徹大悟，以便拯救世人離苦得樂，他所分享的智慧和教導，至今影響著世世代代的佛教徒。耶穌和佛陀都是和他們的時代逆向行駛的人。

至於惡習或惡行，它們的根源都是自私自利的自我。自我的執著也是有些力量的，然而比起眞我，它是不堪的。

9/8

The soul is either raised or cast down by the power of its own thought, speech and action.

一個人的思想、語言，和行動所攜帶的力量，要不是提升靈魂，就是讓他墜落、沮喪。

一個人一生中最重要的研究對象是自己，最需要學習的知識也是關於自己。

如果我們能夠檢視自己在面對喜歡或討厭的事情時，所產生的反應，以及出現的態度、思想、言語和行動，我們就會知道，是我們的智慧在駕馭這些情況，詮釋這些經驗；還是，我們並無法控制自己的反應，而是讓思想、言語和行爲，操控著我們，使得自己更沮喪而無力。

前者是自己的主人，無論發生什麼事，總能和環境或情況的變化和諧共處，掌握自己的想法，選擇回應的態度；至於後者，由於無法控制自己的想法和反應，當事情不如所願時，容易受到環境影響或打擊，導致情緒也隨之起舞。

9/9

Love is the divine Mother's arms; when those arms are spread, every soul falls into them.

愛是神聖母親的懷抱；當她的手臂張開時，每個靈魂都會投入其中。

神聖母親是我們對於母親的理想原型，她所敞開的懷抱是無條件的愛、寬容、接納，無論你是成功或失敗，聰明或愚癡，美或醜，她都會溫柔抱著你，安撫你的擔憂、驚嚇，使一切煩惱止息。她的愛溶解冰冷的心；她的懷抱是每個靈魂的避難所。

在蘇非的教導中，愛是至高的原則。愛的地位超越所有法則，是道德的源頭。愛就是美德。

因此，當你行走在人世間，秉持這個愛的原則來對待所遇見的每個人，你自然會以他們所能理解的語言和他們說話，不論他們是誰，從事什麼行業，身分爲何，你都能與他們和諧相處，體貼他們的心。這樣的態度，就像是神聖母親敞開的懷抱，令人想要更加親近。

9/10

It is the fruit that makes the tree bow low.

正是纍纍果實，使得樹低下頭。

神祕主義所給我們最重要的一課就是：當你知道一切、獲得一切、成就一切，你會更加沉默。

任何人只要把自己所知道的、所獲得的東西當成是證明自己比別人優越的手段時，他肯定尚未真的獲得這個東西。就如同武俠小說中寫的，只有一招半式的人，才會到處張揚，想要比武來證明自己。

靈性的成就到什麼程度，只有自己知道，如果你所獲得的是真實的了悟，並不需要費力去證明自己。成就愈高的人，愈是謙卑，低調行事。就如同結滿果實的樹木，它的頭會自然低垂。

9/11

In order to learn forgiveness, man must first learn tolerance.

為了學習寬恕，人們必須先學會寬容。

寬容是道德的第一課，其次才是寬恕。寬容的特質會爲靈魂帶來和諧，讓你能夠在許多情況都相安無事。

然而，如果你是因爲恐懼、驕傲、榮譽或是迫於情勢才寬容，這並非眞正的寬容，比較是怯懦或壓抑。

有些人展現出寬容的模樣，其實對於他們所寬容的人，他並不理解也不關心。這樣的寬容只不過添增了自己的優越感，對於他所面對的人或情況，並非眞心接納，也不會產生實質的影響。

寬容的眞諦來自顧慮和體貼他人，因此，主動去忽略別人的錯誤，或令你不舒服的地方，不再堅持自己自以爲是的看法或做法。

由於人的本能是「抗拒改變」，我們會去抗拒和自己習性、想法或做法不同的人。練習寬容，也意味著克制自己「抗拒」的衝動；讓更和諧的選擇有了空隙，讓包容有空間。

9/12

The first step towards forgiveness is to forget.

邁向寬恕的第一步就是忘記。

有一個說法是：「寬恕並且忘記。」這句的確說明了寬恕的過程。除非你「忘記」，否則不可能「寬恕」。

是什麼原因讓一個人無法原諒他人？當我們對別人所犯的錯謹記在心，經常在腦子裡播放它，這就像是把一根刺插入你的心中，持續受苦。只要我們還在受苦，就不可能原諒別人。

哈茲若．音那雅．康對於這個現象，還有另一個巧妙的譬喻，他說：「不能忘記別人的錯，就像是把一滴毒藥滴進心中，直到整顆心都中毒。」

一般人很喜歡緊抓著別人的錯處，批判別人，顯現自己的優越。也有人以爲牢記別人對自己犯的錯，可以懲罰對方，其實這是令自己持續受苦、心痛。

忽略別人的錯，並且忘記它，寬恕便毫不費力地發生。寬恕是愛的溪流，無論它流往哪裡，都會淨化一切雜質。使我們的心持續地更新，注滿活力。

9/13

The only way to live in the midst of inharmonious influences is to strengthen the willpower and endure all things, yet keep fineness of character and nobility of manner, together with an everlasting heart full of love.

要在不和諧的影響之中生活，唯一的方法是增強意志力，同時保持纖細的人品和高尚的舉止，以及一顆永遠充滿愛的心。

在世俗的活動之中，我們會接收到來自各方的干擾，可能是不同的政黨、派系、宗教、甚至只是信仰和你有差距，但堅持眞理是在他那邊的人。

於是，有些人在自己周圍築起一道很高的擋土牆，想要隔絕這樣的干擾。然而，這就有如身處海洋中，卻要不斷地抵抗波浪，直到精力耗盡。這些層出不窮的干擾所帶來的不和諧，對於敏感的靈魂是相當痛苦的影響。

擋土牆其實無法眞的阻擋這些干擾。干擾的聲音，永遠魔高一丈。這時候，唯有鍛鍊自己的意志力，才能忽視別人的犯錯，容忍別人的不好。在忍不住想要怪罪或抱怨的時候，深深呼吸；感受到令人不悅的影響時，更專注於呼吸，控制住想發脾氣的衝動。一行禪師說：「習氣上來的時候，意識到你還有別的選擇。」

只有如此，你的心智才能不受外界的影響，它受到意志力的保護，於是能夠擺脫業力的控制，重返內在和諧，而和諧就是美。這同時維護了你的纖細、純眞與愛的特質。

有時候，換一個角度看，你會看到一個人的長處或優點，而不要專注於他的不完美或缺點。這是愛才能做到的事。

9/14

Devotion to a spiritual teacher is not for the sake of the teacher; it is for God.

讓自己全心奉獻，跟隨一個靈性導師，不是因為那個導師的緣故，而是因爲神／唯一存在。

一生當中，我們可能會將自己奉獻給父母親、伴侶、手足、兒女、上司⋯⋯。這是學習奉獻的第一步。然而，一旦我們踏上靈性的旅程，找到並且追隨能夠啟發自己的導師，這是學習奉獻的第二步。藉由對導師的愛和敬意，我們更加靠近唯一存在（The Only Being）。

嚴格說來，神／唯一存在是唯一的老師。所有的靈性導師都是祂的學徒。

蘇非的神祕學認爲，學習當一個學徒是每個人靈性的必修課。在這條路上，我們放下傲慢，學習謙卑，虛心接受教導，藉此發展出眞誠、認眞、承諾的美德，不再朝三暮四，讓熱情更深邃，讓意志更堅貞。

導師只是個領路人，在這個學習的過程，我們校準導師的智慧；奉獻爲我們開啟一扇門，幫助我們解開世俗的捆縛和限制，最終目的，是學會將愛與奉獻給「唯一的老師」，這最後一步，會帶我們抵達精神上的理想，那無限和永恆的存在。

9/15

To become cold from the coldness of the world is weakness; to become broken by the hardness of the world is feebleness; but to live in the world and yet to keep above it is like walking on the water.

因世界的冷漠而變得冷漠，是軟弱；被世界的艱難擊垮，是衰弱；但生活在這個世界上卻能夠超然於它，就像是在水面上行走。

要怎麼超越世間的種種處境，不受到衝擊或牽絆呢？ 最重要的練習是保持清明的心智，改變觀看生命的態度。

一旦觀看的角度改變，我們便會看到不同的風景。地獄可以變成天堂，原本困擾的事，會像洩了氣的球，不再有威脅。會令你十分悲傷的事，也會因爲觀看方式不同，而產生不同的情緒，說不定是喜悅或感恩。原本感到被刺傷的心，改變了觀看的方式，那刺就落下，不再讓心受傷。

轉變就在一念之間。因爲選擇了不同的觀看態度，你眼前就誕生了新的世界。

水常被用來比喻生命。有人會溺水，有人會游泳，也有人能行走於水面。這就如同有人只要心被刺一下，就會整天痛苦；有人很努力地與周遭搏鬥，以牙還牙；而能夠超然看待一切的人，便能從容行走在生命之水的上面，痛苦與悲傷不能夠淹沒他。

在基督教的圖畫當中，常見到耶穌優雅地行走於水上，就是這個寓意。

9/16

God alone deserves all love, and the freedom of love is in giving it to God.

只有神／唯一存在值得所有的愛，而愛的自由在於將愛奉獻給唯一存在。

究竟該愛誰？ 又怎麼去愛？

一生當中，我們透過許多事物來學習愛的功課：朋友、伴侶、同胞、藝術、理想⋯⋯。藉由愛這些人和事物，我們開啟一扇門，學習向愛走去。

然而，當你愛的對象是受限的存在，愛本身也會受限。你可能會因爲那個人離開、背叛或是團體的理想變質而失望或受傷，於是不再愛。而你所愛的人，也可能會在他給予的愛附加許多條件，當你不符合那個期待，他就不再愛你。

可是，當我們愛的對象是神／唯一存在，愛便成爲不受限也不受制於條件的愛。當愛還原爲愛本身，不需要任何附加條件時，會帶給心靈全然的自由。

我們對於世俗中的人事物的愛，都是爲了演練，以便有朝一日能夠將愛奉獻給神／唯一存在。

不論你是使用冥想、觀想、或其他方式想要徹悟生命之道，愛都是超越這一切的法門，可以帶著你走得更深遠。當你走上這條道路，你內在的神性正在甦醒。當你因爲愛而將自己奉獻給更大的生命，你所給出的一切也會因爲愛而回轉到你身上。你給的愈多，回來的就愈多。這是唯一存在之道。

9/17

Love has the power to open the door of eternal life.

愛所具備的力量，可以打開永生的大門。

因爲愛，原子被凝聚在一起，誕生了生命；因爲愛，花朵向光敞開柔軟的心，讓花粉隨風而去。

愛人因爲有了所愛的對象，而產生源源不絕的愛，被愛的人成就了愛人。由於愛的緣故，愛人發展出許多美德：溫柔、仁慈、謙卑、勇敢、耐心、平靜、臣服與滿足。愛人與被愛的人，在愛之中合而爲一，他們的自我被愛消融。

我們和唯一存在（神／上帝）的關係，就如同愛人和被愛的人。我們既是愛人，也是被愛的人。當我們臣服於唯一存在，與祂合而爲一時，個體的意識被無限的意識吸收；就像是一滴水，重新落入大海。水滴不見了，大海也不見了；因爲那個觀看大海的人已經不在。

而這個對於唯一存在的認知，對於融入大海的渴望，就如同靈魂的糧食，帶給它永恆的生命。

9/18

Love has its limitations when it is directed towards limited beings, but love directed to God has no limitations.

當愛的對象是針對有限的存在，它就有其侷限性。然而當愛的對象是唯一存在（神／上帝），它就不受限制。

人世間的愛，如果是針對某個特定對象，執著而熱烈的愛，這樣的愛雖然充滿熱情，卻經常伴隨著嫉妒或占有，把人灼傷。

有些人以愛爲名，執行控制之實。他們會以金錢、暴力、權勢來掌控他的伴侶的自由。他的伴侶或許誤以爲這是愛的表現，然而他的控制行爲其實讓人恐懼不安。這不是眞正的愛。想要占有的人，所愛的是自己掌控的力量，不是他的伴侶。

人們喜愛綻放的玫瑰，因爲它美麗而芬芳。可是，過了幾天，玫瑰枯萎，花瓣四散，誰還會愛它呢？ 無論是伴隨占有的愛、對於美麗的愛，或是對於聰明的愛……，這些愛都是有條件的愛，當愛的對象改變了，她／他凋零、離開，或是不再美麗聰明能幹，愛也會跟著改變或消失！

我們因爲有色身，必然就有著對於色身的種種執著，從這樣的執著，我們學習著愛的課題，以及它伴隨而來的種種限制。然而，有一天，我們意識到我們所愛的對象，可以更遼闊，我們的愛也會變得更遼闊。

當你開始愛上唯一的、無限的存在，當你想奉獻給更大的愛，與祂合而爲一。這樣的愛將神帶入內心深處，照亮你靈魂回家的路。

9/19

The teacher, however great, can never give his knowledge to the pupil; the pupil must create his own knowledge.

老師無論多麼偉大，從來無法將他的知識傳授給學生；學生必須創造自己的知識。

這裡所指的老師，是教導形而上學、神祕學、靈性學的老師，不是在制式學校教導英數理化的老師。這樣的老師所教導的是關於靈魂和生命的道理。

然而，眞理的本質是無法言說的。因此，老師把尋找眞理、揭露眞理、釋放內心深處寶藏的方法教給學生。

事實上，沒有任何人可以把自己的靈性知識傳授給另一個人。老師能做的就是教學生如何展開自己的知識。老師並不是把自己的信仰強加給學生，而是訓練學生能夠自己發光，讓內在的智慧開始顯露出來。

因爲每個人都有一座王國，但他必須自己找到它。

9/20

One thing is true: although the teacher cannot give the knowledge, he can kindle the light if the oil is in the lamp.

有一點是可以確定的：老師雖然不能傳授知識，但只要學生的燈中有油，他就能點燃他的光。

十四世紀波斯詩人哈菲茲寫道:「無論這個老師多麼偉大，當他面對一個心已經關閉的學生，依然束手無策。」

然而，只要學生是虛心向學，而且「燈中有油」，他敞開的心便會蘊含潛力，一旦接受老師的啟發，心中燈火就會被點燃，照亮靈魂。

心是一切神聖知識的源頭。無論一個人讀了多少書，花多少年學習，都遠不及他往內心探索所能獲得的了悟，那裡是一切神聖知識與智慧的根源。而這是老師所無法傳授的部分。

但是老師可以讓學生從他的待人處事，他的寬容和仁慈，他對人的尊重和同情來學習。因爲這個身教的背後蘊含的思想和哲學，會烙印在學生的心中，成爲油燈裡的油。

老師能夠做的就是去點燃學生心中的燈火，讓它充分燃燒成爲靈魂的火炬，照亮他內在的旅程。

9/21

Will power is the keynote of mastery, and asceticism is the development of will power.

意志力是通往精通的關鍵，而禁慾主義能夠發展意志力。

哈茲若·音那雅·康建議想要發展意志力的人，可以進行下面的兩個練習：首先，檢視自己的行爲、言語和想法，避免出現非自己所願的行動、言語和想法。其次，認識到你的的心智和身體都不能夠控制你，反而是，你應該要能控制自己的心智和身體。

禁慾主義在這裡指的並非帶著宗教意味的自我折磨和受苦，因爲就算是禁慾也未必能帶來快樂或救贖，那只是一個人企圖將自己從製造幻象的衆多慾望當中，解放出來的練習。

然而，透過禁慾的練習，的確讓一個人暫時把自己關進不受慾望羈絆的地方，轉移注意力，使自己有機會前往另一個方向。這也是爲什麼，禁慾主義會鍛鍊一個人的自我紀律，也能夠強化我們的意志力。

當你能夠控制不斷出現的念頭和慾望，你才能成爲心智的主人。

一個能夠駕馭自己心智的人，比駕馭國家的國王更偉大。

9/22

Real generosity is an unfailing sign of spirituality.

真正的慷慨是靈性的可靠指標。

慷慨的天性是外向的、自發的，想要和朋友或甚至是陌生人，分享自己喜歡的事物和開心，希望別人也跟著更好一點。它的本質是走向更開闊的道路，望向更遠的地平線。

慷慨之人的心很寬廣，不會在小事上糾結。他的心大大張開雙臂，從裡面湧出給予的能量，也接收外面給予的回饋。

並不是一定要很有錢才能慷慨，慷慨是一種態度，呈現在生活裡，在我們與人接觸時的微小舉動中；可以是一個善意的眼神、一句打氣的話、一個微笑、用力握個手、一個溫暖的擁抱或花時間聆聽和陪伴⋯⋯。

當一個人缺乏慷慨，表示他心門關閉著，裡面的東西出不去，外面的東西也進不來。

9/23

There are two kinds of generosity, the real and the shadow; the former is prompted by love, the latter by vanity.

慷慨有兩種，真實的慷慨和陰影的慷慨。前者的給予是出自愛，後者是出自虛榮。

我們大概都認識這樣的人，他們會說：「記得我給了你這個」，「我幫助你多少」，「爲了給你，我犧牲了自己」……，反覆提醒你記得他們的恩惠。這樣的給予沒有生命，因此也沒有祝福。

這種給予，就是這裡所說的「陰影的慷慨」。給予是爲了被看見，被記住，獲得尊敬或讚美，而且希望有朝一日能獲得回報。這樣的人，把慷慨當成一種交易，這並不是眞正的慷慨，充其量只是慷慨的影子。

眞正慷慨的人在給予的時候，閉著眼睛，而且過後就忘了。他唯一需要提醒自己的是，無論給予的是東西、是仁慈、是助人的行爲，他都會全心的給予。他的報償就在於給予當下所獲得的快樂和滿足，不需要別的。

9/24

It is better to pay than receive from the vain; for such favors demand ten times their cost.

真心付出要比為了虛榮而取得的報償更加珍貴；由於，為了這樣的報償，我們會賠上的東西往往是數十倍。

不要由於你爲他人所做的好事，期待獲得感激或讚美，也不要以此來提升你的虛榮，甚至不要爲了得到神的獎賞而做好事。

因爲，當你開始有了這樣的念頭，期待做好事所能得到的精神或是物質的報償，你就把自己的用心淪爲交易的商品。你的心本來是無價的寶藏，是全世界最珍貴的東西。

爲了做好事而做好事，因爲想要服務而服務；保持無妄之心，才是正確的態度，能夠保護我們的心。

對於值得服務和不值得服務的人，一視同仁，給予你的時間和幫助。生命如過眼雲煙，我們或許不再有同樣的機會去給予、服務，或是爲他人做點什麼，所以得要把握機會，在還有能力的當下，能夠幫助別人過得容易一點、心情開朗一點時，盡可能地做。

俗語說：「別人要你陪他走一里路，你就陪他走兩里路。」

這句話的意思是，能夠給予的時候，大方地給，慷慨地給。有能力給予的人是幸福的也是被祝福的，但是不要因此而覺得自己高人一等，靈性上更加優越，或因此可以獲得感激與名聲。

當後面這些念頭都不再浮現，我們也就實踐了神祕主義的奧義：當我們讓他人開心，我們也就讓神／唯一存在開心。

9/25

The kingdom of heaven is in the hearts of those who realize God.

天國就在那些領悟了神／唯一存在的人心中。

這句話眞正想要表達的是一個人看世界的觀點。一旦一個人開始領悟、認識到自己有限的存在之外，有另一個無限的、永恆的存在，他看待世界的方式必然會改變。

這個領悟，會點燃他心中的光，照亮他周遭世界，讓他從全新的角度，看清人世間所有的陰暗與幻象，從此不再迷惑。這個了解，幫助一個人放下對於世間諸般幻象的追逐、焦慮和執著，放下所有小我的掌控，放下業力的綑縛；讓他也看見自己內在的神性——永恆與無限的可能。

於是，當一個人以這樣的體會行走在世間，無論他身在何處，他所在的地方，瞬間成了天堂。因爲他的心就是神的國度。

《聖經》說：「你們必須先找到天國，然後，一切都會加給你們。」

這就是神祕主義的基礎。在探索神／唯一存在的天國，在追尋神的途中，一個人找到了什麼？

他找到了自己。

9/26

In order to relieve the hunger of others, we must forget our own hunger.

為了解除別人的飢餓，我們必須忘記自己的飢餓。

當我們給予別人衣服、食物、照顧……，我們必須帶著祝福來給予；就像是透過布施這些東西，是爲了賦予生命。以這樣的態度來給予，會帶給接收到你禮物或幫助的人，更多的能量和健康。

如果我們是懷著自我犧牲的感受去照顧和給予，一邊給予，一邊感到自己的委屈，怨懟和憤怒會在我們潛意識滋生，這時候的給予成了詛咒。一面給，一面覺得自己沒有獲得相對的回饋和照顧，於是自己愈來愈枯竭。這時，你所給的東西會帶著沉重的能量，不僅不會帶給他人健康，自己也可能積鬱成疾。

生命中，我們偶爾會看到一些人，他們總是心甘情願地付出與關懷，看到別人吃飽了，穿上漂亮衣裳，他也就跟著飽足和快樂。這些無私的靈魂是被祝福的。或許有些人會認爲他們捨棄自我，去成全別人，很傻。然而，在這些人心裡，自我早就被遺忘了，犧牲並不會帶來痛苦，反而是精神上的快樂。

9/27

It is when man has lost the idea of separateness and feels himself at one with all creation, that his eyes are opened and he sees the cause of all things.

當一個人失去「分離」的觀念，並感覺到自己與萬物融為一體時，他的眼睛就會睜開，而且他會看到萬事的起因。

「個體」這個概念，是透過我們的想像而存在的。即便當代心理學喜歡使用這個字眼，來說明人與人之間需要維護的界線，或一個人爲了成長所踏上的「個體化旅程」。然而這個詞同時帶來幻象，讓你誤以爲每個人是分離的。即便，在更深的層面，這並非事實。

一行禪師提出萬物是「相互依存」的深刻觀察。他認爲，沒有任何一個人，任何一個物種，是可以單獨存在的。我們所吃的麵包裡，有雨露和陽光的滋養，水果有小鳥播種、蜜蜂授粉。有人採收麥子，有人把麥子碾壓製成麵粉，最後烘培成麵包，出現在你的餐桌。

從這個角度來看，我們確實是相互依存的，我們的生命是被天地萬物供養。你所見的山川與海洋，它們都是具有生命的存在，它們正在呼吸、律動。雖然在你肉眼看來，它們是在你之外的存在。

有朝一日，當你打開內在的靈視力，你會看見，「分離」只是一層薄紗，把你和萬物隔開。在表面上，這世界有著各式各樣的存在，但歸根究柢，只有「唯一存在」，一切都是由祂而來，一切也將回歸於祂。當你內在的智慧揭開這個「分離」的薄紗，二元對立自然瓦解。

你在本質上早已與萬物融爲一體，合而爲一。

9/28

To fall beneath one's ideal is to lose one's share of life.

當一個人低於自己的理想，他就失去了自己的那部分生命。

在人類擁有的一切事物當中，你認爲什麼是最重要的？ 哈茲若·音那雅·康說：「是理想。」

> 假如一個人有財富，有資歷，有學問，也有舒適的生活，但是卻沒有理想，那麼這個人如同行屍走肉。相反地，如果一個人沒有財富，沒有資歷，沒有學問，生活很拮据，但是只要他有理想，那麼他就是確切地活著。

這是因爲，「理想」讓一個人對生活感興趣，賦予生命活力；有如燈塔一般，在黑暗中發光，讓人目標清楚，有前進的動力。

一個人的理想愈偉大，他就會變成一個偉大的人；理想愈崇高，他就會成爲一個崇高的人； 理想愈壯闊，他就會成爲一個壯闊的人。這就是理想的奧妙之處，理想可以形塑一個人的格局。

失去理想的人很難找到自己的立足之處，好像小船在顚簸的大海，容易被周遭發生的事顚覆，被他人的意見左右，心情忽上忽下。一旦遭受打擊，就如潮濕的柴火，難以點燃希望之火。他的內在缺乏力量和光。

理想帶給人希望，讓人能夠在逆境堅持下去。所以，不要輕易失去理想，或是妥協理想，因爲那是你生命的生命，你得要珍惜它，好好握住它。

9/29

The wise of all ages have taught that it is knowledge of the divine Being that is life, and the only reality.

各個時代的智者都教導我們，對於神聖存在的知識就是生命，並且是唯一的真實。

在學校裡，我們學習許多外在的知識，歷史、地理、數理、人文……。然而大多時候，我們熟記了名稱、時地、型態、公式，卻無法對這些知識，產生情感上的連結和更深的理解。

其實，眞正重要的知識是對自己的知識，我們需要努力研究的對象是自己，如果連自己都不了解，也就談不上去達成生命的目的。

什麼是關於「自己的知識」？

了解自己的身體、思想和心靈，看見思想和身體的關聯，身體和心靈的交互作用。明白自己想要什麼，需要什麼；認識自己的美德和弱點，了解自己的渴望，知道如何實現它；要追求什麼，要放下什麼；何時該前進，何時該靜止……。

當你深入探討這些問題，會發現你所面對的知識，是個永無止境的世界。

這樣的自我探索將幫助你洞悉人性，引領你進入宇宙造物的原由，最後，獲得關於神聖存在的知識。

所以說，如果有任何地方可以找到神的國度，那就是在人的內心。

9/30

When the stream of love flows in its full strength, it purifies all that stands in its way, as the Ganges, according to the teaching of the ancients, purifies all those who plunge into its sacred waters.

當愛的溪流傾全力奔流，它會淨化一切阻擋它的東西，就如恆河，根據古人的教導，它會淨化所有投身進入這聖河的人。

愛的溪流，源自哪裡？

它來自人心，但人心的能量源自靈魂。當人心全然敞開時，所湧出的愛就如恆河那麼壯大，滔滔不絕，一路奔流，所到之處，沖刷一切雜質和罪惡。在愛的波流當中，沒有什麼不能寬恕，沒有過錯無法遺忘；愛總給人再一次機會，願意相信過去的劣習在愛的注視下可以翻轉，屠刀可以放下。

因爲愛是在所有法則之上，在愛之前，法則都失去力量，只能臣服。

源自靈魂的愛，超越我和非我，超越二元對立；愛的本質是融合與連結，它帶領人們走向合一的「捷徑」。唯有完全張開的心，才能踏上這條道路。

OCTOBER

10/1

Each soul's attainment is according to its evolution.

每個靈魂的成就都是根據它的進化而來的。

每個人的靈性發展都依照自己的速度在前進。當兩個人的進化是在不同階段，便很可能會在同一件事的意見上互相抵觸，因爲他們觀看世界的觀點是不同的。所以很難說誰對誰錯。

一個人看世界的觀點，會隨著他的靈性發展而改變，一般而言會區分爲三個階段，先是透過物質來認識世界，然後透過心智來理解世界，接著透過心來感受世界。當這三個階段都經歷之後，你就學會藉由靈魂／精神來覺知世界。

個人靈性進化是不能僞裝也無法造假的。你來到那個階段，就會從那個層次來看世界，也會依循你所見而行動。因此，一個以心智來理解世界的人，很難跨進靈魂的層次來與人交流，也難以明白「無我的奉獻」是什麼意義。

10/2

It always means that you must sacrifice something very dear to you when His call comes.

這總是意味著，當唯一存在的召喚到來時，你必須犧牲一些對你來說非常珍貴的東西。

當我們深刻地觀察人生，我們會發現，無論以何種形式，犧牲是必然的。不管是針對物質或是精神的追求上，有些人在獲得他所要的東西之前，先做了犧牲；有些人則是在獲得之後，才必須犧牲。

這裡所謂的犧牲，意味著，一個人爲了獲得渴望的東西，所付出的代價，對他而言是珍貴的東西，而不是他可有可無的東西。如果你付出的代價是對你沒有價值的東西，那就不會是犧牲。

每個人都有他認爲最有價值的東西。對於某個人而言，朋友很珍貴，他會犧牲一切來保存朋友；然而對於另一個人，他可能隨時可以犧牲朋友，來獲得對他而言更重要的東西。

當你受到唯一存在的召喚，意味著，你將要爲了更大的理想而付出自己，而且你知道這是你的使命。一個人的理想愈偉大，他所需要的犧牲也就愈大。當這個犧牲是心甘情願的時候，它便帶來愛與祝福。

哈茲若．音那雅．康曾經是印度最有名的Vina樂手（Vina是一種撥彈的弦樂器）。他作曲、歌唱、彈奏，直到他的演奏來到一個更高的境界，直到他的心變成了一件樂器。接下來，他受到召喚，決定把自己當成樂器，供神聖的音樂家（唯一存在）來彈奏。

他犧牲了他最愛的音樂，不再為樂器調音，他轉而為靈魂調音；幫助每個靈魂成為一把和諧動人的樂器，讓生命彈奏。他開始傳遞靈性的教導，從中他發現「每一個字都有一定的音樂價值，每一個思想都有旋律，每一種感覺都有和諧」。

10/3

Renunciation is always for a purpose; it is to kindle the soul that nothing may hold it back from God; but when it is kindled, the life of renunciation is not necessary.

我們總是為了某個目的而捨棄；「捨棄」是為了點燃靈魂，不讓任何事物阻止它靠近神／唯一存在；然而，一旦靈魂被點燃，就不再需要繼續過著「捨棄」的生活了。

到底要捨棄什麼呢？捨棄我們早就不要的東西，很容易。我們小時候所搜集的一大堆玩偶、扭蛋或是貼紙，在長大之後，自然沒興趣了。

所以捨棄，其實是在生命的某一階段，自然而然會發生的事。無法教導，也不能強迫。一個人能夠捨棄什麼，想要捨棄什麼，完全是根據他靈魂的發展，只有靈魂能夠明辨事物眞正的價值，而依此來做出捨棄的行動。

當你在捨棄之後，你的心是快樂的，你才能眞的捨棄。

如果捨棄之後是痛苦的，就不要進行。譬如在家人的壓力之下，勉強自己茹素，如果不捨棄葷食，就害怕會有果報；爲了要迎合家人的期待而去承接家族企業，或是唸某個熱門科系去符合社會價值⋯⋯。這些都非捨棄，而是屈服。

「捨棄」這個行爲，對於靈魂有著非常正面的效益；等於你在宣示不再受你所捨棄的東西奴役，那可能是錢財、身分、名聲、知識、價值觀⋯⋯，因此這個舉動，可以點燃靈魂的火光。當靈魂的火光熾烈如火炬，足以照亮世界，這時，你就連「捨棄」都可以捨棄了。

10/4

There are those who are like a lighted candle: they can light other candles, but the other candles must be of wax; if they are of steel, they cannot be lighted.

有些人就像是已經點燃的蠟燭：他們能夠以自己去點燃其他的蠟燭，前提是那些蠟燭必須是臘做的，如果是鋼做的，那就行不通。

點燃的蠟燭比喻的是已經開悟的人，而且，這些發光的靈魂，譬如耶穌和佛陀，想要分享他們所獲得的啟示給他人。這樣的分享有時候透過言語傳遞，但更多時候是他們所展現的氣度、身上散播的氛圍和光，吸引人們前來。

有些人被觸動後，雖然歡喜，但是那個感動很淺，於是，他們很快就走回原本的途徑，因爲這些人的心是剛硬的，難以被點燃、融化、塑造出新的模樣。然而，有些人一旦被觸動，他的靈魂就被點燃了，他可以一直自行燃燒下去，走向新的生命途徑。因爲他們是臘做的，他們的心遇見火光便融化，被形塑成新的樣貌。

研究《聖經》或佛經的人很多，但是，開悟的人很少。

耶穌說，天國就在你心中；佛陀說，每個人都可以是菩薩。

就算是自詡爲基督徒，或是佛教徒的人，要找到天國，或是走上菩薩道，都還是需要有柔軟的、謙卑的心，才能允許自己被點燃，轉變。

10/5

There is no greater scripture than nature, for nature is life itself.

沒有比大自然更偉大的經典，因為自然就是生命本身。

有史以來，所有的思想大師和偉大的老師們，都是擅長從自然獲得靈感的人。因爲大自然是一部活生生的經典，歷久不衰，它是生命的寫照，一切生命的道理，蘊含其中。

音那雅·康說：「所有的美都隱藏在自然之中。愈美的東西，就愈是隱密。」神透過自然中的一切，對我們溫柔地耳語。自然是最接近人本身的「存在」。人走進自然，便與自己的存在合而爲一，卸下保護的硬殼，流露出自性。

「透過自然，我們可以抵達神的居所。」

因此，我們的心，可以在自然之中安歇，獲得寧靜。微風、春雷、冬雪、夏陽，都攜帶者造物主的啟發，舞動的樹枝、潺潺溪流、微笑的玫瑰，都是造物主正在傳達情感。

如果我們懂得如何觀察、吸收、同在，大自然正在給予我們意想不到的禮物和學習。

10/6

Wisdom can only be learned gradually, and every soul is not ready to receive or to understand the complexity of the purpose of life.

智慧是逐漸學習而累積得來，並非每個人都準備好去接納和理解生命的錯綜複雜和目的。

有些人主張漸進式的學習，透過特定的步驟和階段，步步為營，累積知識；另一些人則主張大躍進式的學習，透過頓悟，領會心法，萬法歸宗。這兩者都沒有錯，也都有它們的道理。只不過看此刻，哪一個方式更適合你？

最好的例子是神秀與六祖惠能的故事。由於兩個人對於修行的認知，南轅北轍，乃至禪宗區分為北宗和南宗。神秀認為人雖有佛性，但被「客塵所覆」，因此需要努力修行，時常拂塵除垢，才能成佛。然而，六祖惠能認為心性本淨，「本來無一物，何處惹塵埃」。於是，神秀主張要漸悟，惠能則以頓悟入門，兩人都有他們各自的追隨者。

每個人進步的方式。最後，都是依照自己能接受和理解的方式，看自己所能校準的究竟是頭腦，或是心？

然而不論是以什麼方式學習，一切的智慧，都是生命的智慧反映在個體之中。

10/7

It is a very high stage on the path of love when a man really learns to love another with a love that asks no return.

當一個人真正學會愛另一個人，而且他的愛是不求回報時，他就來到愛的道路上很高的境界。

我們常會聽到在關係當中，出現這樣的對話：「我愛你，但是你並不愛我。」或是：「如果你愛我，你應該會給我我想要的。」也可能是：「比起來，你愛我更多，我無法回報你。」當這些說法浮現時，愛已經淪爲交易。

因爲這些話裡面，沒有說出來的意思是：「我愛你，我在你身上投注這麼多，希望也能得到對等回報。」；「如果你不依我期待的方式，我就不愛你。」；「我們究竟誰愛誰多一點？ 我可能會吃虧？」；「我無法像你愛我那樣去愛你。你會失望，我會有負擔。」

當一個人單純是爲愛而愛，完全不期待回報時，他的愛變得非常純粹，沒有目的性，也不令人窒息。這樣的愛是自發、完整且美麗的。他不再計較愛的天秤上，他的分量多寡。

10/8

Love alone is the fountain from which all virtues fall as drops of sparkling water.

只有愛是那個泉源，所有美德如同閃亮的水滴從中落下。

愛是什麼？ 你怎麼定義愛？

有人認為愛是包容，有人認為愛是溫柔，有人以為仁慈、謙卑是愛，也有人以為纖細、體貼才是愛。我們賦予愛各種不同的名稱，然而這些美德，全部是愛的屬性，只是表現的方式不同。你若是深究它們的根源，都會看見愛。

這些美德不是努力苦學可以獲得的，學習只能得到定義和概念，不會讓你眞的擁有美德。美德是自然而然從靈魂湧現的愛，如噴泉四散，折射出不同的光。

不只是身體需要每天洗澡、淨身，你的想法、你的心，更是需要時常淨化，否則一樣會藏汙納垢。一旦想法堵塞，心的感受封閉，我們的心思會回堵身體的機能。當愛的溪流不再能夠由內而外，川流不息，你的心也難以清淨，因為你的內在環境無法被打掃或洗滌。

愛之泉，不僅能夠淨化自己，也能淨化他人、激勵他人的心思。當你不管在任何情況，遭遇什麼困難，都能夠守護這個內在的愛之泉，讓它持續地流動，那麼你一定能擁有眞正屬於自己的幸福。

10/9

The whole purpose of life is to make God a reality.
生命的全部目的就是讓神／唯一存在，成為真實。

在大多數人的想法中，神／唯一存是一個想像出來的存在，就算常去寺廟或教堂的人，也未必眞的相信神是眞實的存在，彷彿神只是在寺廟或教堂裡，並不在生活中。

因爲人的理性和知性限制了他，讓他難以信任肉眼看不見的神。於是神成爲一個和人分離的、距離遙遠的存在。

要改變這個與神的疏離，首先，我們可以將神理想化，於是，神成爲人想像中最接近理想的存在，集愛、美、與和諧於一身。然後，我們練習讓這個理想，透過我們和神所建立的關係，在生活中實現。

智者說：神是爲了認識自己、體驗自己、表達自己而創造萬物。

每個存在因此都是帶著神的渴望而誕生的；神的DNA已經在細胞的編碼，植入靈魂深處。

所以，當我們與神建立親密的關係：神正在透過我們每個人而認識祂自己，而我們也正在透過神（這個理想的化身），而認識自己。生命的目的正是這個愛與渴求的延伸。

10/10

> If you seek the good in every soul, you will always find it, for God is in all things; still more, He is in all beings.
>
> 如果你在每個靈魂中尋找良善，你總會找到它，因為唯一存在／神就在萬物之中；更重要的是，祂存在於眾生之中。

如果我們懷著批評的眼光看世界，我們所見的都會是醜陋和缺陷。當我們尋求美麗，我們就會到處看見美麗。

哈茲若·音那雅·康說過一個耐人尋味的小故事：

> 有一天我走在一個城裡，遇見一位托缽僧。他穿著一件滿是補丁的長袍，然而他的言談、舉止、他所散發的氛圍，都如此迷人。那時我很年輕，正在探索哲學，志得意滿。我們一起走一段路，他喊我：「老師！」我很開心，當他跟我說話時，總是稱我「老師」。
>
> 就在此時，我們遇見另一個人，這個人看起來沒受過什麼教育，也沒有什麼哲學或宗教的知識，但這位托缽僧也稱呼他為「老師」。我的驕傲立刻受到損傷，特別是當他接下來遇見一個警察，他依然喚他為「老師」。
>
> 我回去問我的老師，這一切到底是什麼意義？我的老師說：「你的托缽僧向你展示了認識神的第一步：承認眾生都是你的老師。一個

愚蠢的人可以教你，一個聰明的人、有學問的人、學生、虔誠的人或是邪惡的人，甚至一個小孩子，每個人都可以教你一些東西。所以，對每個人都要抱持這樣的態度，如此，你就可以說你認識神。」

音那雅·康的老師巧妙地點播了他，那位托缽僧也啟迪了百年後的我們。

在眾生之中，在人與人的交會，我們遇見了神。

10/11

The knowledge of God is beyond man's reason; the secret of God is hidden in the knowledge of unity.

神／唯一存在的知識超出人的理智範疇；神／唯一存在的祕密隱藏在合一的知識當中。

人的理智侷限了人的想像；我們只能感知到我們所能感知的，無法讓想像力超越我們所熟悉的一切。而神／唯一存在的知識，更是遠超過人受限的理智所能想像的範疇，是不可言說的。

這裡說的「合一的祕密」是什麼？ 爲何那麼重要？

當兩顆心相印，他們自然是連結、融合爲一的。我們不必教導愛人們「專注」的技巧，他們因爲愛著彼此，自然具備了「通靈的能力」，就算分隔兩地，他們總會接通愛人的心思，直覺他喜歡或不喜歡什麼，需要什麼。

我們不必教導母親如何「觀想」她的小孩，母親若深愛著小孩，那是她的心頭肉，就算小孩遠在他方，她依然可以覺察他的狀態，我們聽到過許多故事，譬如，母親直覺在遠方打仗的孩子去世了，甚至在接到軍隊的通知之前，或是孩子突然發生意外，母親驟然有不祥的預感。這些是因爲心的連結，帶來的感知能力。

兩顆因爲愛而合一的心，攜帶著強大的力量，可以劈開如山一般的阻擋，達成目標。我們可以想像，如果一群人同心協力，他們必定可以克服更大的阻難，達成更大的願力。

問題在於，人類大多時候是分裂的，看看種族、宗教、幫派所引發的衝突吧！我們不斷在不同團體，製造分裂和爭戰。乃至於合一或是統一的認知和實踐，更是遙遙無期。

10/12

Seek Him in all souls, good or bad, wise and foolish, attractive and unattractive; in the depths of each there is God.

在所有的靈魂中尋求祂，無論他們好或壞，聰明或愚蠢，迷人還是醜陋；每個人的靈魂深處都有神／唯一存在。

玫瑰花苞準備好的時候，就會舒展開來，釋放香氣；樹上的果實需要時間慢慢熟成，醞釀汁液。靈魂也是一樣，每個靈魂都有他自己熟成的時間。我們不必過度擔憂身邊的伴侶或家人不追求靈性，或是不「屬靈」，或許對於他們，只是時機未到，他們在等待生命的經歷來啟發他們。

不要被一個人的外表或行爲誤導，你永遠不知道，隱藏在那個表象之下的是怎樣的靈魂。因此，誰都沒有權利去論斷另一個人，任何人來到你面前，你都要尊重他們。

如果看得更深一點，就會知道，每個人的靈魂深處都有你所敬拜的神，每個人的心都是神殿。當你以這樣的態度看待周遭的人，你的生活便會一直處於神的臨在之中，呼吸著神的呼吸。

神不是在遙遠的天堂，與你之間有著難以跨越的鴻溝。唯一存在就在你身邊，在你面前，祂無所不在，你可以在老人、小孩、父親、母親身上看見祂。

10/13

When in ourselves there is inharmony, how can we spread harmony?

如果自己內在有許多的不和諧，又如何能對外散播和諧？

許多修行的人，會把「合一」掛在嘴邊，那是令人心嚮往之的境界，是「得道」的指標。有的靈性學校，甚至以「合一」命名。然而，眞正的「合一」，首先要回到自己的內在，而不是往外追尋。

大多數人的內在是處於分裂或混亂的狀態：有時候身體和心理在抗爭，而靈魂卻想出走他方。有時候身體不受控管，拉著心和靈魂一起躁動。有時候心裡拿不定主意，身體被卡住，動彈不得，靈魂則與它們都脫勾。靈魂想前往的地方，未必能得到身心的支持；我們的言語、行動和想法經常互相牽扯，處在不和諧的狀態。

這樣的我們，如何能夠向周遭散播和諧呢？如果自己內在無法整合，就無法體會到「合一」。

只有在我們能夠達到「內在的和諧」，我們才能夠與外在的一切達成和諧。我們的存在本身是和諧的存在，自然會創造和諧，散播和諧，與萬物合一。

然而，當今世界爲何瀰漫著動盪與不安？

哈茲若·音那雅·康認爲，原因在於人們對於「不和諧」所能釀造的災厄太無知。他說：「不和諧會製造不和諧，而且會使不和諧倍增。」演變到最後，就是互相攻擊、仇恨、戰爭與殺戮。

哲學家百年前的話語，猶如現代啟示錄，依然在世界各地上演著。

10/14

The innermost being of man is the real being of God.
人最深處的存在是神的真實存在。

人有兩個部分的存在（being），一個是有限的存在，我們稱爲人；另一個是無限的存在，我們稱爲神／唯一存在。

有限的部分，是大家都熟知的、意識得到的部分，讓我們在地球上追求知識、頭銜、舒適、財富……，然而，如果只有這個部分被實現，我們內在總覺得有所缺憾，難以滿足。

而無限的部分隱藏在人的內心最深處，是我們的靈魂和起源；只有它會帶來眞正的歸屬感，讓我們記起自己的另一個「家」。這個無限部分與神／唯一存在永遠連結。然而，它一開始是被遮蔽著，像是被燈罩保護著的光，唯有透過往內的探索，才能揭露它的存在。

所有的冥想和觀想練習，目的都是在協助人們往內覺察到這個無限的部分，連結靈魂的神性，好讓我們不受困於地球太稠密的能量。同時，能夠提升自己，舒展光一般的存在。

10/15

Love itself is the healing power and the remedy for all pain.
愛本身就是療癒的力量，而且是一切痛苦的解藥。

沒有人可以完全信任自己是受保護的，除非那個保護來自於愛。一個富翁可以雇用許多保鑣，二十四小時保護他，然而，他心中的恐懼依然如影隨形。

當一個人感受到自己是被愛的，他就有底氣，無所畏懼。你可以觀察小孩，當他被比他巨大的人恐嚇時，他會說：「我要去告訴我媽媽！」因爲他相信媽媽愛他，會保護他。任何人的權勢或力量，在母親對小孩的愛之前，都是渺小的。

我們的寵物也是，只要遭遇令牠們不安的聲響、閃電或地震，便立刻奔向主人的懷抱，牠們知道自己被寵愛，也相信會被保護。

同樣地，當一個人感到自己有深愛的對象，他也就有了底氣，原本做不到的事，只要想到對方，便有力量可以堅持下去。

因爲愛會帶來生命力，同情與包容都是愛的表達。只要你的動機是愛，不管做什麼事，你的力量就變得無比強大，磁力也會倍增，你會吸引更多人前來響應你的號召。

當一顆心在愛中覺醒，它本身就會產生療癒自己的藥方，平息痛苦。而這顆心所能給予的愛，也會觸及他人內心的傷痛，幫助別人撬開緊閉的心，解開心結。

這世界上，沒有比愛更強大的療癒力。

10/16

By loving, forgiving, and serving, it is possible for your whole life to become one single vision of the sublime beauty of God.

透過愛、寬恕和服務，你的一生就有可能成為神／唯一存在崇高美麗的願景。

大多數的人，說自己敬拜神，但是並不眞的了解神。他們可能正在漠視神、褻瀆神，而自己卻一無所知。很多人終日對著神像或畫片膜拜，然而，實際上距離神卻很遙遠。當神來到他面前，他並不認得。他們離開教堂或寺廟之後，對周遭的人並不友善，甚至傲慢無禮。

神不在那個雕像或是畫片裡，神的精神是無所不在的。

如果有一天你明白，在神／唯一存在，祂的光輝和美麗，是同時顯現在智者和愚人，好人和壞人身上。那麼，你會不會對於所有的人都給予更多的尊敬和包容呢？

自古以來，先知、聖賢和瑜伽士，早就看到這個眞理。因此他們能夠無差別地對待每個來到他們面前的人。無論他們面向何方，他們看到的都是神的崇高與美麗。於是，當他們以愛和寬恕，回應別人的時候，他們認爲這是給予神的回應。當他們服務別人，他們認爲是在服務神。

當你以這樣的態度生活，你的一生便實現了神最崇高美麗的願景。

10/17

Mysticism to the mystic is both science and religion.

神祕主義對於祕士而言，既是科學也是宗教。

什麼是神祕主義呢？ 神祕主義是一種哲學，認爲神／唯一存在是可以被認識、被發現、被理解的。而眞正的宗教就是傳遞關於神的認識。

因此神祕主義經常和宗教、形上學、靈性學交織爲一門學問。然而，眞理是神祕的，關於神，有著它不可言說的部分，不是大腦所能理解的。必須透過心的直覺來學習和領悟。

譬如：呼吸。一般人以爲就是透過鼻子或嘴巴吸氣和吐氣罷了，沒有什麼好說的。事實上，呼吸不僅是氧氣和二氧化碳的交換而已，那只是最表層的活動。呼吸更是生命的流動，由外而內，由內而外，連結了個人的生命與宇宙的生命；透過呼吸，我們和宇宙交換著能量。

從神祕主義的觀點來看，帶著覺知的呼吸可以連接天與地。既然神的臨在充滿整個空間，我們實際上便正在與神交換氣息，我們所吸入的是神的「精神」(spirit)。

科學也很神祕，許多偉大的發明家最重要的突破，總是來自清澈的心所給予的靈感。彷彿在靈光乍現的那一刻，他接通了一個神祕頻道，訊息被下載，於是豁然開悟。

對於祕士（探索神祕主義者），神祕主義是一種生活的態度，幫助我們穿透事物的表層，抵達生命更深的含義。

10/18

The principles of mysticism rise from the heart of man; they are learnt by intuition and proved by reason.

神祕主義的原則源自人的內心。它們是透過直覺學習並經由理性去證明的。

直覺源自於內心，然而，大多數人很難相信自己的直覺。在它剛剛出現的那一剎那，你頭腦的理性就會發出反對的聲音，提出懷疑，扼殺直覺。

每個人都經歷過內心這兩個聲音在互相較勁的情形，這是因爲頭腦和心運作的方式本來就不同。最後，我們變得不知該聽從哪個聲音。大多數的時候，是後來出現的聲音占上風，推翻了第一個出現的聲音。

我們不知道該如何分辨什麼是直覺，什麼又是理智。直覺似乎總是被冠上「衝動」或「感情用事」的惡名，然而更多時候，我們被理性綑綁，而痛失了冒險的機會，甚至無法回應靈魂召喚的邀請。

其實有一個很棒的方法，大家可以試試看，在第一個直覺的念頭冒出來的時候，握住它，承認它是來自內心的直覺，然後再讓理智去推理它。

理智和直覺對我們都很重要，也各自擁有它的價值和位置。我們要學習如何使用它們，讓理智爲直覺服務，或許是最好的方法。

這就是神祕主義的原則，它是源自內心的信仰，然而這並非盲目的信仰，而是可以透過理智來理解，同時被證明的信仰。

10/19

Your work in life must be your religion, whatever your occupation may be.

無論你從事什麼行業，你在生活中的工作必需是你的宗教。

宗教對於一個人意味著什麼呢？ 那是虔誠的信仰，奉獻與投入。

當一個人面對工作有了這樣的態度，不管他從事的是音樂、藝術、寫作、教學、種植……，那麼，他的工作就是他的宗教。

不管你過怎樣的生活，做什麼行業，生命的目的都是為了讓自己更真切地活著，讓靈魂透過生活更充分地表達自己，展開你內在獨一無二的光，讓世界看見。

當你追求著你的夢想，你就如同牧師和傳道人，在靈性之光中，懷著讚美的心生活，貢獻所長。而你在生活中的工作，成就了你生命的目的。

10/20

The true joy of every soul is in the realization of the divine Spirit, and the absence of realization keeps the soul in despair.

每個靈魂真正的喜悅來自於體現內在神聖的靈性，缺乏這個實現，會讓靈魂陷入絕望。

每個詩人、思想家、發明家或藝術家，在生活中大概都有過這樣的經驗：創作或發明這件事就算下苦功，也未必一定有所斬獲。它有另一部分是神祕的組成，像是在某一刻，突然天外飛來一個靈感，美好的字句、意象、音符或新奇的配方就這麼流瀉而出。

這些「神祕的成分」，或者，我們稱之爲「靈感」的東西，彷彿不是從裡面慢慢鍛鍊所累積的，而是被賦予的。

因爲在那一刻，在你無意識的層面，你的靈魂終於有機會可以呼吸，接通了神聖的管道——那古往今來一切知識的來源。所以，你的心思在那一刻靈感泉湧。

可惜，大多數的人被世俗的生活占據著心思，靈魂無法呼吸，也忘了如何呼吸，連結靈感的天線於是被阻塞。

但只有某一刻，你忘我而沉浸在熱情之中，靈魂突然醒來，它只要能呼吸一口氣，天線就會被接上，再次賦予你靈感，喜悅也會跟著流動。

10/21

Beyond the narrow barriers of race and creed we can all unite, because we all belong to one God.

只要超越種族和信仰派系的狹隘界限，我們便可以團結起來，因為我們都屬於同一位神／唯一存在。

當今的世界愈來愈動蕩不安，隨著文明和科技的進展，人類並沒有獲得更多的和平，反而武器日新月異，國家互相抗衡，二元對立的觀點在國際政治甚囂塵上，戰爭此起彼落。

人類在許多事情上看似進步，然而在更多事情上退步了。這到底是怎麼回事？

因爲人雖然擁有科技和文明，但是人的靈魂被遺忘，不再能夠表達。

「靈魂是神的靈（Spirit），神的靈住在心的聖殿。」哈茲若．音那雅．康一句話點出問題所在。有些東西會讓心打開，譬如愛、容忍、寬恕；當我們違背這些原則，心就封閉了，靈魂無法進駐，神殿也跟著坍塌。

封閉的心，對他人的痛苦無感，表現爲屈辱、冷酷、惡意、二元對立。導致：「我要存在，你就不能存在。」無法共享、共好、和平或繁榮。

所有因爲信仰或種族而引起的戰爭，都嚴重地扭曲人心，導致許多的人心碎，讓仇恨孳生繁衍、讓聖殿被摧毀。

10/22

All forms of worship or prayer must draw man closer to God.
所有形式的敬拜或禱告必須使人更親近神／唯一存在。

你自己會禱告嗎？ 或者你周遭的人會去廟宇或教堂敬拜神嗎？

哈茲若．音那雅．康觀察人的禱告有三種方式：「責任的禱告，懷疑的禱告，信仰的禱告。」

第一種禱告，像是照表抄課；禱告對於這個人是一種責任，是他在某個情況下必須履行的責任。就如同在羊群中的羊，他並不知道自己要往哪裡去，只是跟隨大家移動，好讓家人或社會接納他。這樣的禱告是機械式的，不太能起什麼作用。

第二種禱告，是邊做邊懷疑：「我有做對嗎？ 這樣有用嗎？」有人逢廟必拜，不管裡面供奉什麼神，好像買彩票最好多下注幾款，中獎的機會比較大。也有人只要聽說哪個神明很靈驗，就會立刻去拜求，爲了獲得他要的東西。然而，只要許願的事沒有成眞，讓他失望，立刻就會喪失原本就薄弱的信仰。這樣的禱告就算持續一千年，也不會被神聽見。因爲他的心早已被懷疑蒙蔽，他的禱告無法傳遞到神的耳朵。

第三種禱告，是充滿信仰的禱告，懷著感恩的敬拜。他禱告的時候，尚未說出口的話，神已經聽見了，因爲神不是遠在天邊，而是就在身邊。他非常貼近神，神對他而言是活生生的，是無所不在的，是智慧的化身。任何來到他面前的人的內在都住著神。當一個人，以這樣的態度禱告，他所說的每個字便都有了生命。不僅帶給他自己祝福，也帶給他周遭的人祝福。

禱詞在他的嘴唇裡，猶如玫瑰花苞在心中含著的香氣。

你會禱告嗎？ 你用的是哪一種方式呢？

10/23

When man is separated from God in his thought, his belief is of no use, his worship is of little use.

當一個人認為他與神是分離的，他的信仰就沒什麼用處，他的敬拜也就沒什麼用處。

如果一個人認爲神是在他之外，是與他分離的存在，那麼他的信仰必然是依附著他印象中的神的形象，他可能膜拜工匠所創造的神的形象。這樣的信仰是有所缺憾的，他對神的認知並不完整。

因此，無論他多麼虔誠，他的敬拜也不會起太大用處，因爲他與神的距離十分遙遠，他把自己從神的國度放逐了。

其實神既是在你之內，也是在你之外。當我們也能認知自己內在的神，也就是我們的神性，我們就能夠眞的與神親近，並且交流。

雖然，對於一般人而言，先學習認識外在的神：造物主、審判者、知道一切事物的全知者……，是一個重要的過程，然而，當你了解祂更多的時候，你便可以往內，找到祂。

這個發現將會使你的敬拜更加完整。

換句話說，當你參拜神佛時，如果能意識到在你之中就有神佛的屬性，那麼你和神佛便不再分離。

10/24

The source of the realization of truth is within man; he himself is the object of his realization.

領悟真理的根源在人自身之中；他自己就是他所能體會和實踐的對象。

我們如何找到眞理，認識眞理？

每個人信以爲眞的東西，都是隨著他所能夠體會的程度在變化著。

譬如，一個在嚴厲的父母掌控和處罰下長大的人，他一開始會充滿怨恨和創傷，覺得父母並不愛他，不理解爲何自己會這麼被對待。

然而，當他開始培養更多的理解和寬容，也或許他有了自己的小孩後，他可以從新的角度去理解父母的行爲。看見他們可能因爲過度焦慮孩子的在學表現，想要確保孩子可以出人頭地，於是採取不當的教養方式，並理解那是焦躁不安的父母在當時唯一會做的事，他們不懂得其他的方法。雖然這造成他童年的創傷，然而他們的動機是愛。

如果這個人可以看得更深一點，他便會理解父母也被社會價值觀牢牢束縛著，以爲只有跟隨主流的價值，才能夠存活。他們害怕如果小孩無法贏在起跑點，接下來就會全盤皆輸。而且，他明白自己可能也被社會價值束縛著，會因此而要求自己去符合父母期待。

當這些不同層次的理解，自然而然出現的時候，他會比較釋懷，而心生慈悲。

而我們自己是許多部分的組合：我們透過感官覺受，透過頭腦設想，透過心感覺。眞正的成功，往往必須整合身體、頭腦和心的運作。

因此，最大的滿足和唯一持久的勝利，往往在於找到自己，研究自己，深刻了解自己。

10/25

True self-denial is losing one's self in God.

真正的自我否定，就是在神之中忘卻自我。

蘇非哲學認為一個人需要透過自我修鍊，來轉化對於生命的膚淺認知。個人的意志固然重要，然而，相較於神／唯一存在，個人的意志是渺小的，會遮蔽一個人的認知。為了要領悟更為遼闊的觀點，一個人需要先放下自我，向內在的神性意識敞開，讓內在的智慧來指引你。當你放下自我這「一滴水」，你便能獲得神性意識這「整座海洋」。

在榮格心理學中，靈性是個體化過程的重要面向。榮格認為，與神聖存在或更高力量的連結，對於個人心理和精神的健康很重要。因此，如果超越自我的侷限，與神建立深刻的關係，便能夠體會與更高的力量合一的感受。這讓感受是神奇的療癒，讓個人的焦慮有如「一滴水，落入大海」，帶來精神的解脫。

無論是蘇非哲學，或是榮格心理學，不約而同地，都以水滴和大海，來比喻「放下自我」的掌控，以便融入完整的存在。

因此，這裡所說的「自我否定」，指的就是這種心靈的煉金術：當一滴水，不再堅持自己，允許自己落入海洋的同時，它的「個體的識別」似乎消失了，然而，這個「消失」的過程，帶來了超乎想像的「獲得」。他重新覺知的自己，猶如海洋般深邃。一切神話夢想，所有的想像與表達，過去現在與未來，都在那裡。

10/26

It is more important to find out the truth about one's self, than to find out the truth of heaven and hell.

找出關於自我的真相，比找出天堂和地獄的真相更重要。

你認爲什麼是天堂，什麼是地獄？

天堂和地獄是一個人的行爲、言語和思想所造就的結果，它不是獨立存在的地方。而且每個人的天堂或地獄都不一樣。

對你而言是天堂般的處境，很可能是另一個人的地獄。

因此，我們無法眞的了解天堂和地獄，如果我們不了解自己的內在。

10/27

According to his evolution, man knows the truth; and the more he knows, the more he finds there is to know.

一個人所知道的真實，隨著他的進化而改變；他知道的愈多，就會發現需要知道的也更多。

什麼是「眞相」？眞相來自於每個人對於生命的領悟。因此，眞相是無法言說的。

一來，這樣的知識如此博大精深。二來，對於眞相的體會是有階段性的。隨著一個人的進化，他對於眞相的認知也會跟著改變。

於是，關於眞相，我們所要學習的第一課是，容忍。允許別人繞著他自己的世界轉，不必強迫別人過來你的世界。

有人在學習與他人建立界線，這是他現在的認知。有人在學習拆除與他人的界線，這也是他的認知。你所能夠體會的眞相，未必是你身邊的人所能理解的，每個人生命的進展不同，前進的速度也不同；有人飛行，有人徒步，有人游泳……。

一個人的心所開啟的程度，會決定有多少靈魂的光能夠穿透思維，讓思維發光，照亮此刻能見的「眞相」。

10/28

The man filled with the knowledge of names and forms has no capacity for the knowledge of truth.

當一個人的知識中填滿了名稱和形狀，他就沒有了解真理的能力。

當一個人帶著他自己的知識，前來學習，老師其實很難教他什麼，因爲他的心已經被原有的知識占據。

一個人必須先把心淨空，才有空間接受新的知識。

名稱和形狀指的是事物的表象，它們五花八門，充斥著世界；擁有愈多表象知識的人，被社會認爲是聰明、博學多聞。不過，這樣的「聰明」，並不會帶來洞見或是恆久的平靜。

智慧和聰明則不同。

智慧是靈魂成熟的表現，它源自內在之光，並不是依賴外在知識的積累。

10/29

Man mistakes when he begins to cultivate the heart by wanting to sow the seed himself, instead of leaving the sowing to God.

當人開始耕耘自己的心，想要自己播種，而不是讓神來執行，他就犯了錯。

我們可以像農夫那樣，培養自己的心，讓它具備一些品質。就像是農夫對於土壤的改良，我們努力讓自己的心具備某些特質：愛、同情、勇敢、奉獻……。

然而在土壤改良之後，要讓心這塊沃土長出什麼，就交給神／唯一存在來播種吧！我們只是把自己的心準備好，耕耘好，讓神聖的種子能夠在心中萌芽茁壯，這樣的臣服會帶來無比的力量與信心，彷彿在對神／唯一存在說：「讓祢的意志得以實現。」

10/30

We start our lives as teachers, and it is very hard for us to learn to become pupils. There are many whose only difficulty in life is that they are teachers already. What we have to learn is pupilship. There is but one Teacher, God Himself.

我們的人生一開始是以老師自居，要成為學生，對於我們就會很困難。許多人的生命中，唯一的困難就是他們已經是「老師」。我們真正必需學習的是如何當個學生。因為世界上其實只有一個「老師」，祂就是神／唯一存在。

一個人只要開始認爲:「我在某種程度上是老師了！」他便立刻失去了立足點。

是不斷學習的慾望，讓一個人成爲老師，而不是想要成爲老師的慾望，讓人成爲老師。

看一看人類歷史上所有偉大的老師:老子、孔子、耶穌、佛陀、穆罕默德，哪一個不是偉大的學生？ 他們可以透過天眞的孩童來學習，也可以透過反對他的人學習，朋友或敵人，全都是他們的老師。天、地、自然，以及世上的各種情況和處境都是他們學習的材料。他們從生命領悟出深刻的道理，再教導世人。

因爲這些偉大的老師都知道，世界上只有一個眞正的老師。想要認識神，我們需要的不是學歷或智力，而是如何當學生。只有這樣，我們才能接納神的教導。

唯一存在知道如何因材施教，祂會把你最需要學習的事物，透過處境，透過時機，透過適當人選，來到你面前教給你，前提是，你能不能當學生？

10/31

Earthly knowledge is as clouds dimming the sight, and it is the breaking of these clouds in other words, purity of heart that gives the capacity for the knowledge of God to rise.

世俗的知識如烏雲遮蔽了視線，而能夠打破這烏雲的，換句話說，就是純淨的心，使得神／唯一存在的知識能夠在心裡昇起。

什麼是純淨？ 純淨是純粹、乾淨，沒有被汙染。我們會定期給家裡大掃除、吸塵除垢，讓我們的家恢復乾淨。然而，內在的家呢？ 身體、思緒、情感，都個別需要淨化。

我們的身體需要定期的排毒、代謝，好讓它有機會修復，恢復健康和機能。

我們如果累積許多錯誤的想法，讓血腥、戰爭或恐怖的畫面占據腦海，心智就會被蒙蔽。這時候需要透過呼吸和覺察，來掃除這些不快的印象和想法。

如何讓心恢復純淨呢？ 首先，我們要幫助心放下讓它感到苦澀的一切。只要心還懷著對另一個人的怨恨，或是邪惡的念頭，心就被堵塞。

身體吃了毒藥會導致死亡。而苦澀或怨恨都是我們滴入心的毒藥，會讓心如千刀萬剮，死上一千遍。因此，如果能夠幫助自己放下這些苦澀，把注意力轉移到令你感激的事物，好讓心重新感受到愛的流動，心就能夠恢復它的純淨。

對於心而言，純淨就是它自然的狀態。只要它能回到它最自然的狀態，所有的烏雲都會消散。

NOVEMBER

11/1

Self stands as a wall between man and God.

自我是立在人和神之間的一堵牆。

自我，常常將認同設定爲某個人格、身分，被某種價値觀和特定思想框住。

因此，自我會受限。自我像是一堵牆，將自己和「神我」隔開了。這堵牆有多厚，我們與神的距離就有多遠。

其實神並不是只跟聖人、先知對話，祂也一直在與我們對話，只是我們聽不見，看不見。我們的自我不僅隔開神，也掩蓋了內在靈魂之光。

自我是頭腦的產物，它需要被馴服，才能服從心，供心差遣。而當我們能夠謙卑爲懷，我們也就有更多機會，能夠聽見神的聲音。

自我並非需要被抹除。自我的表達、自我的探索是相當重要的成長過程。我們應該允許自我發展，但是不要被自我操控。我們可以認識自我，但是它不是我們的全部認同。這是在靈性的道路上需要取得的平衡。

一旦自我太自戀或自私，它就會成爲一堵牆，限制我們，阻擋我們與別人合作，與伴侶相愛，或融入團體。同時，這會阻礙我們與神／唯一存在的交流。

11/2

It is a patient pursuit to bring water from the depth of the ground; one has to deal with much mud in digging before one reaches the water of life.

要從地下深處取得水，需要耐心地堅持；因為在挖掘的過程，一個人必須先處理很多的泥巴才能抵達生命之水。

自古以來，水常被比喻爲生命，而愛則是維繫生命的動能。

如果在追求愛的過程中，你因爲不如所願而失望，這就如同在探尋水源的途中，你由於先碰到泥巴，於是停止往下挖掘。

其實，只要再堅持一下，挖掘深一點，你就能夠取得水源；只要願意相信，你就能夠獲得愛。

「讓勇氣成爲你的矛，耐心成爲你的盾。」哈茲若·音那雅·康如是說。

當我們追尋夢想，一開始需要的是勇氣來行動，接下來需要的是耐心，才能走得更長遠，不會因爲一點小挫折，就放棄夢想。讓耐心成爲抵擋失望的盾牌，守護你的夢想和追尋。

11/3

In man's search for truth, the first lesson and the last is love. There must be no separation, no I am, and Thou art not. Until man has arrived at that selfless consciousness, he cannot know life and truth.

在追尋真理的過程中，第一課也是最後一課就是愛。在愛之中，肯定不會有分離，沒有「我才是」，而「祢不是」的想法。在人達到無私的意識之前，他無法了解生命和真理。

頭腦擅長分析，而分析喜歡把事物拆解開來。在這過程中，每個人成爲分離的個體，信仰不同，族群分裂，於是會造成「我是，而你不是」、「我對，而你不對」的爭執，最後演變成戰爭。古往今來，人類歷史上大部分的悲劇，都是由此而來。

唯有愛，能夠超越不同的表象，看見表面上分開的個體底下，人類共通的渴望和情感，了解不同的種族和宗教信仰之下，人類一致的理想與追求。因爲愛想要連結，融合，一起成長。

因此，一顆已經覺醒的心，不可能以自己的意志去傷害另一個人，因爲那就彷彿在傷害自己。這樣的人，不會以考量自己爲中心，而是與他人、不同國族、整個地球，尋求和諧的生活。

當一個人具備這樣無私的心，他的生命目的，是去達成整體生命的幸福，不再是個人的幸福；這是因爲他的快樂，是來自於看見其他生命也一起快樂。

11/4

By the power of prayer man opens the door of the heart, in which God, the ever-forgiving, the all-merciful, abides.

藉由禱告的力量，人打開了心門，讓永遠寬恕、全然慈悲的神住在其中。

就算是爲了自私的理由而禱告，禱告依然是帶著謙卑的行爲。由於承認自我的侷限，於是，你祈求比你更偉大的力量來協助你。

也正因爲承認了更偉大的力量——神的存在，你得以透過禱告向祂懺悔，對祂陳述所有的不安與過錯。許多對凡人難以啟齒的羞愧，都可以對神告解，獲得赦免。

在某種程度上，神對於人，像是理想中慈悲的父母，可以寬恕一切，接納一切，於是你藉助祂的力量，來抹除你心中的砂礫，淨化你想要放下的行爲、思想或情緒。

禱告本身，幫助人打開心門，讓神駐紮在心中，喚醒靈魂純淨的神性。

11/5

To be really sorry for one's errors is like opening the door of heaven.

當一個人為自己的錯誤感到抱歉，就像是打開了天堂之門。

有許多的感覺，會對一個人產生重大影響。有的感覺帶來喜悅、有的感覺帶來提升、有的感覺帶來深刻的平靜。

然而，當一個人願意面對自己的錯誤，而且心存悔過，就等於是把自己的脆弱和缺失高舉在神的面前，謙卑低頭，祈求赦免。這個悔過的態度，伴隨著想要進步的願力，將會帶給這個人無比的喜悅。

因爲當他意識到自己所犯的錯，神／唯一存在的寬恕也就能夠進入他的思維以及他的心。

首先，這會消除讓他思維卡住的錯誤印象。其次，淨化他的心由於犯錯而承受的沉重悔恨。這兩者會幫助一個人恢復輕盈，卸下陰影的糾纏，重新接納自我。

這就如同打開了天堂之門，讓美麗與光再度能夠顯現在心中。

反之亦然。如果一個人因爲傲慢、自我膨脹，不願意認錯或懺悔，而且忙著指正他人的錯誤。那麼，陰影就會如影隨形，錯誤的印象累積在他的思維，導致頑固與僵化；他的心門關閉，寬恕的雨露無法降臨心中，喜悅和美麗也因此與他絕緣。

11/6

Our soul is blessed with the impression of the glory of God whenever we praise Him.

每當我們讚美神／唯一存在的時候，我們的靈魂就會感受到神的榮耀。

讚美神，榮耀神，不是因為神想要被人讚美，被人榮耀，而是因為從讚美和榮耀神的過程中，人們的心專注於神所創造的美好的事物。透過這樣的專注，美麗也就烙印在人的靈魂。

這些美麗的印象，讓一個人能夠在他自己當中感受美麗，於是他很容易和所有的人都做朋友，不會對別人產生偏見或批判。

所以，當鳥兒在清晨敞開喉嚨讚美生命，當花兒在角落綻放笑顏，當人們讚美造物主所創造的美麗事物，這些都是在為靈魂調音。

一切對於神／唯一存在的讚美與榮耀的方式，所有發自內心的感激，都是在培養我們的心，讓它被我們所專注的美好與感激滋潤，使得心逐漸轉變為我們所讚美的一切，而靈魂也被榮耀的精神洗滌而閃閃發光。

11/7

As a child learning to walk falls a thousand times before he can stand, and after that falls again and again until at last he can walk, so are we as little children before God.

就像是一個學走路的孩子，在他能夠站起來之前，跌倒了一千次，然後，他一次又一次地跌倒，直到他最後能夠走路，我們在神／唯一存在面前也像是小孩。

失敗根本不要緊，比較不幸的是，一個人因爲失敗而停留在原地，不再移動。因爲他害怕自己會再度失敗。有許多人，就爲了害怕失敗的經驗，而蹉跎一生，不再前進。

當生命不再能夠嘗試，就不會有新的可能，學習也就停滯。一個人無法抵達任何的地方，或設定任何目標。靈魂害怕的不是失敗，而是這種窒息的感覺。

生命力是透過生活中不斷的挑戰，逐漸鍛鍊出來的能力和自信。是在失敗之後，還可以爬起來，繼續嘗試的毅力，帶來無堅不摧的自信。

就像是學步的小孩，從跌倒當中，他的腿一直在學習，修正他移動的方式。我們應該給予自己更多的寬容與耐心，從不斷嘗試中學習。不要因爲幾次失敗，就氣餒或失望。

剛剛學飛的小鳥，還沒有辦法駕馭風與翅膀的力度，牠必然會不斷地墜落，直到在墜落過無數次之後，牠的翅膀有了力氣，也學會怎麼駕馭風的流向，那一刻，牠可以展翅飛向天空。小鳥不會在墜落幾次之後，就自我責怪，感覺羞愧而放棄學飛，因爲飛行是牠的天命，是牠需要去完成的挑戰。

大自然當中，所有的生命都具有這樣的本能。

在我們跌倒時，只需要記得，神／唯一存在一直在看著我們，不斷地犯錯、學習、爬起來、再來一次，就如同慈愛的父母，祂隨時準備把你納入懷中，然而，祂也在等待你，去面對你所需要的戰役，從中鍛鍊出自信。

11/8

Self-denial is not renouncing things; it is denying the self; and the first lesson of self-denial is humility.

否定自我不是放棄自我；這裡所否定的是被侷限的自我；否定自我所要學習的第一課是謙卑。

首先，「否定自我」，和一般大眾心理學常說的「自我否定」是截然不同的意義。

「自我否定」，它是無助和缺乏信心所造成的行為，而且最後會導致對自己的更加不滿。這樣的「自我否定」不是美德。

這裡所說的「否定自我」，所著重的是謙卑的概念。在全能全知的神／唯一存在的面前，我們學習低頭，臣服於祂的意志。讓「祢的意志被貫徹」，而非「我的意志被實現」。在謙卑的同時，我們允許更深的智慧，來引導我們前進。

這樣的「否定自我」，不是泯滅自我，而是讓自我變成無限的一個轉捩點。

11/9

The more elevated the soul, the broader the outlook.

靈魂愈提昇，視野愈廣闊！

蘇非哲學把容忍與謙卑放在人格發展的基礎，要求自己能夠眞正敞開心胸，去接納所有的觀點，了解不同的文化、傳統和習俗，看見所有世界上的知識，都是人類可能的想法。

固然，旅行、閱讀和觀察，都可以拓展一個人的視野。然而，最後還是必須透過愛，才能帶給一個人最寬廣的視野。因爲愛讓一個人的心，徹底往四面八方延展；爲了要能容得下神聖的眞相，爲了要包容其他存在，心必須徹底擴展。

奇妙的是，當一個人的心擴展了，他的視野也就會相對提升，他的思想變得深邃，容易同情與理解他人，而且他的眼界開闊，望向遙遠的地平線。

11/10

Mastery lies not merely in stilling the mind, but in directing it towards whatever point you desire.

駕馭心智不僅是讓紊亂的心思靜止，更能夠把它引導至任何你要它去的地方。

混亂的心智經常被比喻爲脫韁的野馬，當它不受控制地胡思亂想，或是隨著外界的事件而波動，不斷製造內在的小劇場，在無止盡的臆測中，你賠進去寶貴的情緒，因此而陷入恐慌、焦慮。你被這匹野馬甩來甩去，生活便難以再有安寧的片刻。

直到你學會如何握住韁繩，開始操控這匹野馬；使用專注的力量，調整你的呼吸，協調心的願力，你才能夠引導心智爲你服務，去完成你的心所要完成的任務。同時，在你需要安靜的時候，它也可以波瀾不興，不動如山。

當你眞正學會駕馭心智，等於是在自己的裡面建構了天堂，隨時可以擁有你想要的平靜、快樂與安詳。

11/11

Our thoughts have prepared us for the happiness or unhappiness we experience.

我們的思想已經為我們所經歷的幸福或不幸做好準備。

這句簡單的話，直指神祕主義的核心。

一件事情的發生，是好或壞？ 你的經歷是幸福或不幸？ 你究竟是成功或失敗？這一切，其實都在於你的想法；你觀看的方式決定了你的感受和經驗。

換句話說，事情的發生本身是中性的，是我們對於它的詮釋創造出自己的經歷。

命運不是已經被創造了，而是我們正在創造的。一旦意識到這件事，你就能夠帶著覺知開始創造你的命運，並且積極參與這個共創過程。

譬如：有人丟掉了一百塊，他可以坐在那邊嘆氣，懊惱自己不小心；他也可以念頭一轉，對自己說，它被比我更需要那一百塊的人撿走了。這個想法立刻終結他的自我責怪，反而會高興自己的錢可以幫助到更需要的人。

當一個人意識到他必須對自己的想法負責，他就成爲自己命運的主人。

11/12

When the mind and body are restless, nothing in life can be accomplished. Success is the result of control.

當思緒和身體都焦躁不安，生活中就無法完成任何事。成功是能夠控制思緒和身體的結果。

思緒和身體為何會焦躁不安呢？

有人會說，是自己太過敏感，容易受到外界影響：別人的舉動、環境的聲音、訊息和新聞，都可以顛覆自己的平靜。

其實，當一個人允許自己被打擾，這顯示出他的專注力薄弱；而專注力薄弱，來自欠缺意志力。

冥想當中，所需要學習的第一課是專注。專注的練習同時也是意志力的養成。

專注能夠讓一個人，無論遭遇什麼情況，都能夠安定身心，即使處於嘈雜的環境，內在也能夠平靜。而面對來自四面八方的影響，依然能夠超然以對，不會失去內在平衡，這種自我控制的力量，才是成功的關鍵。

11/13

When speech is controlled, the eyes speak; the glance says what words can never say.

當言語被把持的時候，眼睛就會說話；一個眼神可以表達許多言語無法言說的。

在各個時代所誕生的先知，他們所傳達的影響大多不是透過言語，那僅僅是一小部分，他們大多是透過他們的臨在、他們所散發的氛圍、內心所湧現的偉大情操、仁慈的眼光，以及他們所給予的祝福。

因此，他們帶給世界的重要教導大部分是在靜默中發生。

安靜，是每個人在生命中所渴求的，無論你有沒有意識到這一點。一首音樂如果中間沒有休止符，那會很難聽。一張畫需要留白，才會更有張力。

當嘴巴闔上不再滔滔不絕，我們才有機會聽見內在湧現的聲音，眼睛才能開始說話。一個眼神的交流，勝過千言萬語。

11/14

Words are but the shells of thoughts and feelings.
言語不過是思想和情感的外殼。

「是什麼賦予語言力量？」「靜默所獲得的力量是什麼？」

哈茲若．音那雅．康提出的這兩個問題，發人深省。

讓語言有力量的，不是從嘴巴吐出來的字的排列組合，而是那些字背後隱含的意志力。而靜默所獲得的力量是安靜本身。安靜的時候，顯示出一個人強大的自制力。

當一個人躁動不安，他會說個不停。而一個人若是用愈多的話來表達一個念頭，他也就削弱了那個念頭的力量。

真正懂得使用思想或情緒力量的人，不需要很多話。

張開嘴巴，言語就被表達；而閉上嘴巴，言語就被吸入內在。靜默的嘴就如蚌殼闔著，裡面含著珍珠，令人願意等待。而那些被太快說出來的字，早已消失。

11/15

Wisdom is not in words, it is in understanding.

智慧不在於言語，而在於理解。

理解是無價的。每個人都希望能夠被他人理解。理解是關係中，最療癒的一帖藥。

當身邊親近的人能夠互相理解，就會感覺關係和諧而且有了歸屬。當不同性格的人，能夠互相理解，也就能夠擁有和平與尊重。

兩個人之間如果缺乏共識，就會各持己見，愈爭辯愈生氣。爭辯不會帶來理解，只是讓兩人距離愈來愈遠。這時候，言語是多餘的，沒有用的。

一個人的生命裡，如果缺乏理解，就像是待在一個黑暗的房間裡，看不到自己擁有什麼。然而，一旦有人可以理解你，你變得比較能夠清晰聽見自己在說什麼，內在的智慧自然泉湧而出。

「理解是神的恩賜，理解是靈魂的展現，理解是一個人一生中可以擁有的最大的財富。」哈茲若・音那雅・康如是說。

11/16

The message of God is like a spring of water: it rises and falls, and makes its way by itself.

神的訊息猶如泉水：它升起也落下，而且自由流動。

神／唯一存在總是企圖和人類交流，祂的信息有如泉水，不停地湧出。如果祂所給的信息是眞實的，那麼從世界的開始到盡頭，神的信息始終如一。

而那些聽見了信息之後受到感召的人，便成爲傳信者（先知）。傳信者也可能僞裝成不起眼的人物，出現在我們周遭，他可能是清道夫、侍者、一棵樹、你坐著的岩石……。

神的信息是無法被模仿的，它總是會找到自己流動的路線，經過對它阻力最少的人，去到它需要去的角落。

然而，對於心尚未打開的人，他可能等了又等，還是收不到訊息。千百年過去了，傳信者經過他身邊許多次，他依然沒有發現。

11/17

If the eyes and ears are open, the leaves of the trees become as pages of the Bible.

如果眼睛和耳朵真的張開，樹葉就會變成《聖經》的扉頁。

如果唯一存在／神是無所不在的，這意味著，祂存在於每一刻、每一處，祂也存在萬物之中。

真正領悟這個道理的人，他的眼睛和耳朵才真正張開，他可以在迎面而來的每個人身上看見神；他不需要等到去教堂，或是面對神像，才看見神。神成為他隨處可見的存在。

而且，當他走進自然，每片葉子、每株花草都在對他傳遞著神聖的信息，帶給他啟發和靈感。因為，神／唯一存在的聲音，無時不刻，從他的內在對他大聲說話。

11/18

The soul of all is one soul, and the truth is one truth under whatever religion it is hidden.

所有人的靈魂都是同一個靈魂，無論隱藏在何種宗教之下，真理也是同一個真理。

一行禪師說過一個比喻:「如果你右手拿鐵鎚，不小心砸到左手，左手受傷痛得要命，右手可以說，受傷的是左手，不干我的事嗎？ 其他部分的身體可以切除左手的感覺，倖免於痛嗎？」

不管是右手或左手，不論是小指頭，或大拇指，一切都是身體的一部分。這就如同，「所有人的靈魂都是來自同一個靈魂」，眞理是同一個眞理，神也是唯一的神，儘管不同的宗教賦予祂不同的名字。

因此，我們不可能傷害另一個人，而不傷害到自己。

人類的律法和習俗，約束了大衆的想法，乃至，人們只能盲從於多數人，像是跟著奔跑卻漫無目的的羊群，以爲如果承認自己心中和別人不同的感受或想法，就得被迫離開群體，如此便會有危險。在圍觀耶穌被釘上十字架的人們，大多數人的心中是認同他的，也是同情他的。然而，礙於權勢沒人敢吭聲，那是律法淩駕於愛的時代。

過了兩千多年，來到今日，希望我們的時代可以有所不同，但願「萬物相互依存」的眞理，能夠被聽見，而且愛能夠淩駕律法與習俗之上。唯有實現這個眞理，才能帶來人類眞正的安全、幸福，以及長遠的和平。

11/19

Narrowness is not necessarily devotion, but often appears so.

狹隘並不等同於奉獻，但往往看起來是如此。

人們常會以爲奉獻，就是專注愛著一個人，或是投入一份工作。然而，眞正的愛是會成長的，愛本身必須自由流動，因爲愛如大海。它無法被裝入一個小瓶子去占有，我們投入熱愛的事項，也會因爲個人的成長而轉變。

譬如，一開始你可能是因爲非常地愛你的貓，逐漸地，你的愛擴大爲愛所有的貓；然後，有一天，你發現你愛著所有的動物，你成爲捍衛動物自然家園的保護者。

一個虔誠敬拜著神的人，如果不能愛護神所創造的萬物，以及這個地球，而只是對著神像膜拜，他的愛是狹隘的，他的奉獻空泛而蒼白。神創造世界萬物，因爲神希望人透過祂所顯化的一切，來認識祂。

所有的宗教、祈禱和敬拜，都是爲了喚醒人們對於造物主的理想與渴望，使靈魂變得更高貴而寬容。然而，當今許多宗教卻走入門派之爭，愈來愈偏執，對於和自己不同信仰的人，就稱爲異教徒。這樣的愛不僅狹隘，而且會創造無盡的衝突和不幸，這絕不會是神所渴望的奉獻精神。

11/20

It is the soul's light which is the natural intelligence.

靈魂之光是自然的智慧。

靈魂之光是在哪裡呢？ 它是位於我們心中的一個發光球體。

我們的心罩著靈魂之光，就如同燈罩罩著燈泡。然而也正如燈泡，靈魂發光時，它的光芒是往四面八方輻射而出。

在黑暗中需要光才能看見。我們則是需要靈魂之光才能真正地「看見」，這裡的看見不是指肉眼所見，而是內在靈視力所能洞悉的事物。

當靈魂能夠散發光芒，我們的心就有智慧能夠理解；真正的智慧是來自於每個人的靈魂，不是透過學習考試或分析得到的知識。

只有內在正確的理解，才能夠在生命各種艱難的情況中，讓一個人依然心存喜樂。如果理解出錯，扭曲實相，就會帶來痛苦與怨懟。因此，真正喜悅，是源自每個人內在的靈魂之光，而不是來自外在的事物。

11/21

The wave is the sea itself; yet, when it rises in the form of a wave, it is the wave; and when you look at the whole of it, it is the sea.

波浪就是大海本身；然而，當它以波浪的形態上升時，它就是波浪；當你看見它的整體時，那就是海。

音那雅·康喜歡以波浪和大海來比喻生命的整體和個體，一行禪師也說：「當條件俱足的時候，就會產生波浪，而當條件改變，波浪就會再度殞落，成為大海。」禪師以此來形容生命的律動，像是呼吸一般自然。

當個人意識被創造時，如波浪翻飛湧起，各有姿態，美麗而短暫。顯化條件一旦消失，個體的靈魂，會再度沒入大海，回歸整體的靈魂。生和死是幻象，生命其實沒有開始也沒有結束，所以，我們執著的「我」究竟是誰？

我們每個人都是大海，也都是波浪，端看我們目前顯現為什麼。所有人的本質都是相連的，即便每個人都可以有不同的主張和表現，然而，我們的情感其實並沒有那麼不同。在深層的情感裡，連結了全人類的悲傷和喜樂。

問題是，你能不能在看著「波浪」時，也同時看見「大海」？

11/22

It is not the solid wood that can become a flute; it is the empty reed.

實木無法成為笛子，但是空心的蘆葦可以。

如果我們太過自以爲是，內在塡滿了自我，就不再有空間來容納生命的音樂；就如同一塊實木，沒有什麼可以穿透它固著的狀態，和它產生任何共鳴。

只有當我們把自我清空，才有空間讓生命吹奏，才有條件讓音符在我們之內流轉共鳴。此時，神聖的吹奏者，會讓祂的音樂經由我們而流向世界。

11/23

Reason is learned from the ever changing world; but true knowledge comes from the essence of life.

從不斷變化的世界中，我們學習事物的道理；然而真正的、更深層的「知識」，是來自生命的本質。

許多人透過星座、紫微、面相或手相，試圖分析或了解一個人的性格或命理。這些道理是可以教導和學習的，也是能夠從書本獲得的知識。

然而有些人天生敏感，能夠在第一次見到一個人的時候，內在立刻感受到想要遠離此人，或是被莫名地吸引，想要更靠近。這樣的直覺似乎毫無道理可言，它出現的方式和上述是不同的，並非分析了這個人的命盤，或是學習閱讀面相才決定要疏遠或靠近。這樣的直覺是來自心的感知力，而非頭腦的分析力。

心的感知力必須透過不同的路徑去開發。

有個男人去找一個大師Jami，希望他能夠點化自己，成為門徒。Jami看著男人，問他：「你有愛過任何人嗎？」男人說：「我還沒有愛過。」Jami對他說：「你先去愛吧！ 等你真的愛過之後，再來找我。到時候我再教你道理。」

關於愛和感激，這些生命本質的東西，並非理性的學習可以教導的，必須透過真實的體會，才能打開這些內在的知識。沒有打從心底愛過的人，不會知道什麼是愛；沒有真正體會感激的人，無法了解感激。也是這些鐫刻在心裡的印象，讓一個人擁有內在的感知力和覺受力，在第一時間，喚醒我們內在的直覺。

11/24

God is within you; you are His instrument, and through you He expresses Himself to the external world.

神／唯一存在就在你之內；你是他的樂器，透過你，祂向外在世界表達自己。

什麼是「在你之內」呢？ 你的裡面有著什麼？

一般人可能並沒有意識到，我們不僅是這個物質的身體，我們也是頭腦的思維、心中所輻射的感知，還有靈魂意識穿梭其中。

如果我們認同的是「思維」，我們的存在就會受限於思維，如果我們認同心，我們的存在就擴延到心的能量所觸及的一切。而如果我們認同的是靈魂，我們已經不再受限於時間和空間，內在的神性開悟，成了神一般的存在，對於天地之道瞭然於心。

如果我們得知自己內在的眞相，知道自己在精神上可以多麼宏偉、廣闊、崇高和深沉，我們的言行與思想都會產生變化。這時候的祈禱，不再是空泛的話語，每個字都帶著實現的力量。

就如同音樂雖是在外面的空間播放，然而是你內在對音樂的領受，決定你所聽到的音樂爲何。別人所說的話語，也是透過你內在的認知，來詮釋字句的好或壞。因此，我們內在的理解，是造就外在世界的關鍵。

究竟，透過我們這一把樂器，神／生命的整體，能夠創造出什麼樣的音樂呢？

11/25

It is according to the extent of our consciousness of prayer that our prayer reaches God.

我們禱告的意識所能延展的程度，決定了禱告如何傳達給神／唯一存在。

如果你禱告的時候，身體靜止，然而頭腦卻胡思亂想，這樣的禱告是無效的。因爲你的意識在說完禱詞的同時，已經渙散，到達不了任何地方。

沒有任何禱告可以觸及神／唯一存在，除非那是發自內心的禱告。

有人或許會疑惑，既然神是在人的內在，那麼我們的困難與煩惱，我們對神的感覺與態度，乃至我們的缺點或忐忑，祂不是都會知道嗎？ 怎麼還需要我們利用禱告訴說呢？

其實，禱告是靈魂深處的渴求。

當我們能夠全身全心全意地祈禱，說出我們的感覺、想法、熱望和讚美，這個禱告就會帶著自己的聲音和頻率，回播給靈魂，這讓在我們「內在的神」聽見了回音。

哈茲若 · 音那雅 · 康說：「我的雙唇含著祈禱，正如玫瑰花蕾含著芬芳。」

還有什麼能比這個更貼切地形容禱告的美麗和純淨呢？

11/26

The heart must be empty in order to receive the knowledge of God.

為了接受神的知識，心必須淨空。

在禪宗故事當中，有個人去找禪師要當他的門徒，禪師拿起杯子，倒茶給他。他把杯子注滿茶，茶漫溢而出，他繼續倒茶……。禪師以此示意這個人，他的心已經滿了，容不下禪師的教導。

哈茲若・音那雅・康說：「學習穿行於靈性道路的人，首先必須像個空杯子，以便將音樂以及和諧的美酒，倒入他的心中。」

如果一個人充滿了先入爲主的想法，而前來學習靈性，就如同走入溪流，卻帶著一個被蓋住的杯子；他想學習，但他不想先倒空杯子，甚至會爲了他杯中已經裝的東西，而與他人論戰、爭辯。

因此，當我們站在神／唯一存在的面前，需要先學習如何讓心成爲一只空杯，蘇非哲學稱這個過程爲——「忘記所學」(unlearning)。要做到這一點，必須放下你在世上所曾學的一切，回到孩童般的純淨，在那一刻，你的自我、你渴望被實現的願望、你想要達成的動機通通都消失了；這時候，神的知識便如鶺鴒美酒，倒入你整個存在，使你因爲迷醉而「忘我」。

11/27

As long as in love there is 'you' and 'me,' love is not fully kindled.

只要在愛之中，還有「你」和「我」之別，愛就不會被完全點燃。

這句短短的箴言，它的背景是哈茲若．音那雅．康的靈性發展地圖。

他把靈性發展，區分爲三個階段。

第一階段是大多數人所熟悉、奠基於互惠的道德，我們著重每個個體的差異性，所以要劃立界線，你對我好，我便對你好。

第二階段是著重於仁慈法則，這時候，我們雖然知道自己和他人是不同的實體，也同時看到所有的人都是有關連的，有一個精神能量把所有的人貫穿起來，在表相的不同之下，我們可以感同身受。宇宙是個穹頂。你做出善意或惡意的回應，它都會折射回來自身。所以，你會想要對一切遭遇做出善意的回應，讓這個回音折回自己。

到了第三階段，「你」和「我」的區別已經消融，你超越前面兩階段的視野，所看到的生命是一個整體，它在你之內，也在你之外。這樣的愛，成爲明亮的火光，照亮世界。這個階段，實現了《聖經》所說的：「在祂之中，我們生活、移動，並且存在。」

一行禪師說：「尊貴的佛陀，透過接觸大地的修習，我接觸到您。」

他的正念行禪，所跨出的每一步，都是他透過大地與佛陀的親密對話。

相同的道理，當你和每個人的接觸，都接觸到神，都是與神的對話，神就如我們的愛人，祂會告訴我們一切。

「我執」不在之後，只有「臨在」。

11/28

Once you have given up your limited self willingly to the Unlimited, you will rejoice so much in that consciousness that you will not care to be small again.

一旦你為了那無限的存在，而放棄受限的自我，你將會在那樣的意識當中感受到無盡的喜悅，乃至你不介意再度變得渺小。

一個人對於生命的理解，以及所能實現的程度是不能僞裝的。我們不能假裝我們悟道，假裝了解什麼是合一，甚至假裝已經體會到合一的精神。然而，一旦你眞的下定決心，迎接更完整的自己，你就有機會看到眞相，並且靠近眞相。

事實上，每個人都具有兩個面向，一端是受限的存在，這是你的人性面向，另一端是不受限的存在，這是你的神性面向。有個精神貫穿這兩者。

踏上追尋自己的旅程，就是認識全部的自己。當你少一點自我，就會更靠近神性一些；當你多一點自我，就會更靠近人性一些。但是，在你能夠全然放下自我之前，我們會在這條路上來來回回；有時把界線拆除，有時建立界線，依據你當下理解世界的方式。

然而，只要有一天，你眞的放下自我，全然體會自己無限的面向，你所能感受到的融合與喜悅，將會徹底同化你。這時候，所有你內在的戰爭都會止息，所有的渺小都會消失，痛苦和磨難也化爲烏有。就算這個改變，無法一直繼續下去，就算你偶爾還是會墮入人性的煩惱，你的生命已經打開了一扇窗，體會到快樂的奧祕。

11/29

The deeper your prayers echo in your own consciousness, the more audible they are to God.

你的禱告在你自己的意識中，若迴響愈深，神就愈能聽見它們。

哈茲若・音那雅・康曾說過一個有趣的小故事：

有個農村的女孩，正經過一個農田前往一個村莊。農田裡，有個回教徒正在他禱告的毯子上祈禱。法律規定，任何人都不得穿過有人正在祈禱的地方。

當那個女孩自村莊返回，這個人還坐在哪裡。

「女孩，你犯了可怕的罪！」他說。「我怎麼了？」女孩不解。

「我正在這裡祈禱的時候，你從這裡經過。」他說。

「你說你正在禱告，這是什麼意思？」女孩問。

「我正想著神。」回教徒回答。

「真的嗎？你真的正在想著神嗎？」女孩說：「當我想著我正要去見我年輕的男人時，我根本沒有看見你。如果你正在想著神，你又怎麼會看見我呢？」

禱告如果只是流於形式，是沒有效力的。然而，如果彷彿思念情人般的專注，你所說的每個字都會在心底迴響，而那裡就是神的居所。

11/30

It is the depth of thought that is powerful, and sincerity of feeling which creates atmosphere.

思想的深度是具有力量的，而感情的真誠會創造氣氛。

如果想法不具有深度，就如同水面的漣漪，輕輕攪動，晃一下就消失，沒有太大的影響力。思想的深度來自於心，當一個人能夠深入內心的感受，他不僅能了解自己的感受，也能觸及全人類普遍的感受。這時候，如果在這個人之中升起想法，就會如深海的波瀾，它可以穿越整座海洋，擴散到遠方。

真誠所帶來的力量是無與倫比的。一個人可能身強體壯或有權有勢，然而他若是缺乏真誠，虛假會如鐵鏽，鏽蝕他的存在，使他的力量終究難以發揮，而且靈魂的光會被遮蔽。

我們都見識過，一個人只要坦然、真心、誠懇，他的力量就不可限量，而他靈魂所散發的氛圍，會讓他具有說服力，吸引眾人前來追隨。最好的例子就是證嚴法師，她原本是一名瘦小的女尼，卻誠懇發願，創建了影響全球的慈善機構，慈濟吸引無數的志工獻身，輸出救助物資給予全球各地的災難地區。她的號召力量，使得她完成了不起的志業。

一個人愈誠懇，他所能分享的也就愈多，而且藉由分享，會帶來更大的力量。然而，我們所處的社會和人際關係，充斥虛假的陷阱，許多時候，白色的謊言或是虛偽的迎合，會不知不覺侵蝕我們的真誠，直到我們與真實的自己距離愈來愈遙遠。

DECEMBER

12/1

The higher you rise, the wider becomes the margin of your view.

當你上升到愈高處，你的視野也就愈寬廣。

在地面移動的人，很難想像在天空飛翔的鳥所能見到的視野，是怎樣的光景。

但我們只要曾經爬山攻頂，或是登上摩天高樓，也都能改變我們的視角：從高處俯瞰的世界，地平線退到遙遠的地方。當視野擴展開來，會讓我們看到與平日完全不同的世界。

而這樣的視野，會帶來相對寬廣的觀點。當我們的觀點不再拘泥，不再受限，我們自然而然就從痛苦當中解脫了。

因此，當你被生活的艱難困住，要記得，真正來自生活艱辛的痛苦，通常只占百分之五，而剩下的百分之九十五是來自於自己的想法和態度，以及你的內在鬥爭。

問題在於，你要怎麼從自己創造的這百分之九十五當中解脫呢？

就像是改變收音機的收聽頻道那樣，透過冥想或靜心，你可以選擇將自己的接收頻道重新校準，讓它與神／唯一存在同頻。如果這個對你來說太抽象，你也可以專注於觀想激勵你的人或是理想。如此，你的視野也將被提升。

當你能夠從高處俯瞰自己受困的局面，你就變成了自己生命的觀察者。

登高望遠，超個人的情感會油然而生，因爲你原本感覺非常沉重龐大的困境，會由於視覺上的變化，突然縮小爲米粒一般。這樣的體會，帶來療癒、撫慰、以及難以言說的平靜。

12/2

Justice can never be developed while we judge others; the only way is by constantly judging ourselves.

當我們評斷他人時，正義永遠不可能得到發展；唯一的方法就是不斷地反省自己。

沒有人有資格可以論斷他人，因為每個人都很難完全摒除偏見，而達到絕對的公正。

因此，我們真正能做的只有觀察自己、研究自己、檢討自己的人生觀、自己面對人生的態度、自己的言語、行爲和思想。當我們對自己有了眞正的了解，我們才能在靈性上有所長進，也才有機會能夠深刻了解他人。

然而，大部分的人忙著把注意力放在他人身上，對於評斷別人充滿興趣，認爲自己才是正義的一方。

如果我們眞的對於公正很在意，那麼首先應該做的是面對自己的缺失和弱點、對別人的不公平或偏見，只有從自己開始，才能練習公正。

12/3

Joy and sorrow are the light and shade of life; without light and shade no picture is clear.

歡樂與悲傷，是人生的光與影；沒有明暗，就沒有清晰的畫面。

如果沒有悲傷，人們很難經歷到快樂；如果沒有黑夜，我們不會知道白天已經來臨。

快樂和悲傷是相互依存的，就如成功與失敗，光與影，生與死。

在這個世界上，我們所知道、感受，以及感知的一切事物，都有它的對立面。是這個對立面的特質，讓另一邊獲得平衡。

就如同影像，需要有光和影的交錯，才能顯示出來。我們的存在也同時需要兩種相對的特質，來創造出意義，體會生命的完整性。

12/4

The wise man submits to conditions when he is helpless, bowing to the will of God, but the evil that is avoidable he roots out without sparing one single moment or effort.

智者在無助時順應情況，臣服於神／唯一存在的意志，但對於可以避免的邪惡，他會不遺餘力地根除。

有時候，我們會遭遇意外，或是毀滅性的災難，這些事件有它背後的運作力量，你可以稱之為神的意志，或是宇宙的動能，也有人以業力去詮釋。智者不會抗拒或抱怨這些遭遇，他會順應情況，收攏自己的能量，讓自己臣服於神／唯一存在。

因為就算是毀滅，也有它神聖的作用。地球本身的進化，是歷經許多的毀滅而再生的結果。

然而，邪惡和毀滅不同。邪惡是一個人所產生的念頭，就如同花園裡出現的雜草。這時候，智者就會主動根除它，不讓這樣的念頭，在他所要創建的世界中出現。

每個人的意識當中都有一切的種子，善的種子和惡的種子都在。因此，要播種什麼種子，照料什麼種子，都在你的一念之間。不管你知不知道，你都正在創造一個自己的世界，而你所澆灌的種子，決定了你自己世界的樣貌。

12/5

Enviable is he who loveth and asketh no return.

能夠去愛而且不求回報的人，真是令人羨慕。

如果你一邊仁慈待人，一邊想著「我的行爲可以獲得什麼回報」，你就把自己的仁慈變成了商業行爲。

同樣地，如果你愛著一個人，卻一直想著，對方有沒有愛你？ 有沒有感激你？你也把自己的愛淪爲交易了。

當情感被商業化，一個人就會陷入糾結，錙銖必較，許多痛苦隨之而來。

眞正的愛，是爲了愛的緣故而去愛，不是爲了獲得回報或是感激。這樣的愛，提升了愛人，直到一天，愛人昇華爲愛的本身。這樣的態度，使一個人生活在這個世界，然而超越這個世界；這個世界的獲得或失去，不再羈絆他，他的愛有了翅膀。

12/6

To deny the changeableness of life is like fancying a motionless sea, which can only exist in one's imagination.

拒絕生命的多變性，就如幻想要一座靜止的大海，只能存在於想像中。

人一生下來，就是處在一個不斷變動的世界中。萬物無常，沒什麼是可以持續下去的，也沒什麼是可以依靠的。

生命一開始，就會走向終點。凡事有始必有終。

即便如此，我們依然被人世的幻象吸引，以爲自己可以長久保有愉悅的事物。因此，繼續迷醉於對假象的追逐。

每次當我們以爲自己獲得了快樂，很快卻又會發現並不是那麼一回事，不滿足過一陣子就會再度浮現。促使我們開始新的追逐，設立新的目標，即便那只能獲得片刻的滿足。

事實上，這個世界所有的快樂，都是短暫的。眞正可靠的東西，是隱藏在人的內心深處；那裡藏著鍊金術士的點金石，藏著你神聖的火花——它過去就存在，未來也將繼續存在。

12/7

Learn to live a true life and you will know the truth.

學會過真實的生活，你就會知道真相。

祕士／神祕主義者認為要達成生命的目標，可以依循三個階段：正確的生活，眞實的生活，以及活出眞理 (truth)。

第一個階段，你不需要任何宗教信仰或是冥想靜心，你只要有意圖，想要過正確的生活。正確的生活就是能夠體恤他人，對他人有惻隱之心，不是自私自利，只為自己或為自己的家族而爭取利益。

第二個階段，是眞實的生活，這是指一個人意識到神／唯一存在，他的生命其實是源自唯一存在，他的生命是整體不可或缺的一部分拼圖。當神的意識在人之中覺醒，人就成為一座海洋，可以無盡延伸他的意識，與更全面的自己連結。有限的存在與無限的生命能夠協調一致。

到了第三個階段，這個協調一致的「合一」精神，完全在你的生活中實現，你的存在就體現了「眞理」，不再有對境之別。就像是你看著鏡子，鏡中是空無一人，不再有反射。這是因為你已經與唯一存在融為一體，愛人與被愛的人結合；你成為祂的樂器，演奏著祂的音樂，表達祂的思想和情感。

你終於明白，自己就是愛，就是眞理。

12/8

Wisdom is attained in solitude.

智慧是在孤獨中獲得的。

我們一般獲得智慧的方法，是透過外在的學習；我們去學校、念書、閱讀、上網……，來獲得知識，擴充資訊。

然而，有另一種方法，則是透過孤獨。

我們把房門關起來，閉上眼睛，將世界隔絕在外，在孤獨中靜坐，全然和自己在一起，走入內心。透過往內的旅程，探勘內在的資源，挖掘靈魂深處的智慧。這樣的智慧，只有在孤獨當中，才能對你顯示；只有在孤獨當中，你才會看見靈魂的光。

12/9

The seeming death of the body is the real birth of the soul.

肉體看似的死亡，其實是靈魂真正的誕生。

這句話可以從兩個方面來理解。

因爲，「死亡」也是可以從兩方面認知。

首先，我們一般人非常珍愛、認同的這個肉身，終有一天會消殞。而在它消逝的同時，生命離開肉體的軀殼，靈魂也帶著這一世的學習，離開地球這個學校。然而，靈魂是不滅的，它不生不死，沒有開始也沒有結束。

因此，當靈魂脫離肉身，它就從受限的時空解脫，再度重生。

從另一個層面來看，靈魂的重生，不需要等到肉體消亡，它可以在肉體健在的時候，透過意識上的覺醒，了悟自己眞實的身分不是這個受限的身體，而是永恆的靈魂；靈魂是神性，我們是源自光的孩子。一旦神的意識被啟動，靈魂便可以轉化身體所有的原子，讓身心即便在這個地球上，也調頻到靈魂的意識。

如此，靈魂可以在我們還在身體裡的時候，重生；而身體的意識也會瞬間跟著提升，擁有不同的眼界，散發出靈魂之光。

這是佛教的開悟，立地成佛的概念。

12/10

As the rose blooms amidst thorns, so great souls shine out through all opposition.

正如玫瑰在荊棘中綻放一樣，偉大的靈魂也在所有的反對力量中光芒四射。

想想耶穌和佛陀，在他們所誕生的時代，他們的主張猶如異端，遠遠超前他們的時代，與當時的主流思想是如此地不同，也因而遭受許多對抗和迫害。然而，在反對聲浪中，他們依然堅定地把思想傳遞下去，至死不渝。

《聖經》說：「不要對抗邪惡。」這句話非常耐人尋味。

因爲，「對抗」會產生反作用力，導致你培養了和你所對抗的人相同的情緒，就如同你讓你自己染上具有感染力的病毒。

那麼，我們怎麼面對邪惡呢？

哈茲若．音那雅．康講了這麼一個故事：

> 倫敦當時有一小群人在從事靈性方面的工作，他們對於我的小社群感到競爭的威脅。於是他們試圖傷害我們，透過講述反對我們的故事，來鼓動別人也反對我們。
>
> 我的協助者跑來告訴我，這些人正以這種方式在破壞我們，我們是不是該做些什麼來阻止他們。然而，我的回答是：「 對待這個問題，最好的方式就是就是冷漠，不予理會。」

> 協助者還是堅持，那些人正在做的事會對我們造成極大的傷害，我說：「一點也不會。除非我們允許這樣傷害進入我們的社群，它才有可能造成傷害。讓他們繼續做他們喜歡做的，而我們繼續做我們正在做的。」

事實證明，音那雅．康是對的。數年之後，他的社團蓬勃發展，而這些反對的聲音已經消聲匿跡。他的社團往前進了，而那些想要破壞他們的人還在原地打轉。

面對邪惡，只要一點點冷漠就足夠：讓玫瑰可以無視於荊棘，依然柔軟美麗，芬芳動人。

12/11

When the artist loses himself in his art, then the art comes to life.

當藝術家沉浸在藝術創作而渾然忘我時，藝術就有了自己的生命。

無論什麼形式的創作，當創作者渾然忘我，著魔一般地投入創作時，他踏入了「心流」。那是一個神祕的維度，自我不見了，取而代之的是「創作」本身。

他被創作「附身」了。

他完全超出他的日常表達和思維，讓創作純粹的力量和精神，使用自己的全部存在，表達出渴望被表達、等待被表達的一切。

就在藝術家忘卻自我的那一刻，他在美的願景中甦醒了。

「美是神聖的祕密。」哈茲若·音那雅·康說：「美是藝術家的生命，是詩人的主題，是音樂家的靈魂。」

那一剎那，神靈把生命注入他手中的作品，不管那是詩歌、雕塑、音樂、繪畫……。

12/12

Do not do anything with fear; and fear not whatever you do.

不要懷著恐懼做任何事；無論你做什麼事，都不必害怕。

恐懼會讓一個人的心關閉。恐懼也會吸引一個人所恐懼的事物前來。

一個恐懼狗的人，會到處都看見狗，而且他身上散發的恐懼，會讓狗自然想要咬他，對他吠叫，甚至會被他吸引過來。同樣的法則也在自然界運作著，一隻動物如果對另一隻動物抱持恐懼，就算他體積比另一隻更大，牠還是會被欺負驅離，屈居下風。

可見恐懼無關乎體積，連結到的是心的力量。因爲恐懼讓心充滿黑暗，光進不去，心變得渺小無比，忘記自己可以多麼有力量。

面對恐懼最好的方法是分析自己恐懼的原因，發掘自己最害怕的結果，一旦這麼做，你會發現恐懼通常是自己內心的小劇場，所幻想出來的劇本。這時候，恐懼就洩氣了，不再能夠發揮作用。

另一個方法是透過觀想，設法讓光進入你的心，照亮陰暗的角落，讓黑影蕩然無存。當一個人恐懼的時候，整個世界都變得很不安全；然而當光能夠照進你的心，心的潛在力量便可以完全發揮，讓你一無所懼，昂首闊步走入世界。

12/13

Love develops into harmony, and of harmony is born beauty.

愛發展成和諧，而和諧誕生了美。

如果沒有愛，和諧不可能存在。

愛是人類的天性，愛讓我們包容彼此的差異，允許不同的表達方式存在；因此，我們可以在地球上的生活創造出和諧。就像是音樂中的和弦，不同的單音可以一起形成更美麗的合音。我們可以與自然、動物，或其他人都產生和諧的共振。

美，是和諧的產物。和諧是創造美的方法。

和諧是畫布上的線條、顏色、光影的組合，是文章裡的字句、節奏、思想的起承轉合，是一朵花開的模樣，是一棵樹伸展的型態，是一座山和雲的對話，是一個人對另一個人伸出援手……。

12/14

> He who keeps no secrets has no depth in his heart.
> **那些無法保守祕密的人，他們的心缺乏深度。**

這裡所謂的保守祕密，指的是能夠克制自己想要炫耀的衝動，安靜把自己的想法保留在內心深處，給它一段時間，讓它有機會發展、琢磨，接受它即將而來的變化。這種保守祕密的力量，讓一個人變得深刻、神祕、富有吸引力。

假如一個人無法克制想要炫耀的衝動，迫不及待就把計畫說出來，等於是熄滅才被點燃的火苗，他無法讓火苗蓄積力量，充分燃燒；這樣的人很難成功，因爲他的力量很快就被消耗掉。

說得一口好計畫的人，往往無法做到他所說的。眞正胸有成竹的人，不會急著把話說滿說飽，而是蓄勢待發，直到計畫成熟，再採取行動。

就像是蚌殼，必須緊閉一段時間，才能醞釀出珍珠。我們的心思也需要時間的萃取，去蕪存菁。

12/15

Behind us all is one spirit and one life; how then can we be happy if our neighbor is not also happy?

我們的背後都是同一種精神和同一個生命；如果我們的鄰居不快樂，我們如何能快樂？

千萬不要誤以爲，這句話的意思是，你必須等到另一個人快樂，你才能快樂。或是，別人如果不快樂，你也要跟著悶悶不樂，讓別人的陰影遮蔽你的陽光。

同情心雖然讓我們能對別人的處境，感同身受，但不是要造成這樣的效果。

而是當你散發光芒，當你知道通往幸福的途徑，當你知道解脫痛苦的方法，願意將它們分享給你周遭的人，讓他們也能找到幸福，離苦得樂，驅散陰影。

這才是同情心的眞諦。

如果把全世界的國家、種族的集合看成一個身體，我們就都是這個身體的一部分。想像一下，如果是你的腳在痛，就算你的手並不痛，你依然不會太舒服。所以，就算痛苦的不是自己，而是別的國家、別的種族，身旁的人，你還是會感到不舒服。

因此，菩薩並不是只渡自己離苦海，祂發願要渡所有的人脫離苦海，才前往西方極樂世界。祂的慈悲心讓祂回到衆生的世界，繼續引導衆生，分享祂的智慧和光。

傳說中，每滴眼淚落下的時候，都有綠度母在一旁陪伴。

12/16

The sea of life is in constant motion, no one can stop its ever-moving waves. The Master walks over the waves; the wise man swims in the water; but the ignorant man is drowned in his effort to cross.

生命之海不斷湧動著，沒有人可以停止海浪的翻滾。大師能夠踏浪而行；智者可以在其中游泳；然而無知的人想要穿越海洋時卻被淹沒。

海洋的表面雖然波濤洶湧，似乎永遠在移動著，然而那僅僅是它的淺層活動，在海洋的深處，有著超越一切的寧靜，不被任何表象的活動驚擾。

我們的生命就如大海。當我們投身其中，問題便接踵而來，一波又一波，影響我們，顛覆我們的平衡。這時，假如我們沒有意識到在深海處，其實有著深刻的平靜，我們很容易會把熱情過度投注於表面的活動，而且被淹沒。

然而，如果我們能夠意識到，無論發生什麼事，無論外在情況變得更好，或是更糟，我們的內心深處，總是能夠保有深刻的平靜；這是任何人都無法奪走的，也不必依賴別人的賜予。這會帶給我們信心，幫助我們超越外境顯現的一切困難。

容易被外在情況影響的人，十分脆弱，因為很容易受外面的意見影響，想要追隨大多數人的意見或生活模式。因此，失去自己的定見，被外界各種不同的說法拉扯，難以抉擇。

能夠在海中游泳的人，已經學會了掌控意志，他不被環境或情況淹沒，雖然辛苦，他正在以他的方式前進。

至於大師，他已經學會超然，他知道如何連結內在的寧靜，輕盈行走於海上，自在面對生命的各種情況，而不會陷溺。

12/17

Man's greatest privilege is to become a suitable instrument of God.

一個人的殊榮來自於，使自己成為神／唯一存在適當的樂器。

有一個莊園的主人，他終其一生住在地下室，他以爲這就是他全部的家。他並不知道他的莊園有多美麗，也不曾發現地下室之外還有其他樓層，全都是他的。

靈性的覺醒，不是來自於更多的學習，而是來自於更多的「發掘」：發現自己眞正的國度，自己所繼承的神聖禮物，以及全部的自己。

每個人來地球之前，都是與神／唯一存在密切連結著。每個人都是爲了讓自己的靈魂重新調音，而應允前來地球接受試煉。然而在進入這個時空當中，人們隨即忘記自己的根源，也遺忘自己生命的目的，更忘記自己和神／唯一存有的連結。

重新記得自己的來源和眞實的身分，成了每個人最迫切的靈性功課。

否則，人們誤以爲自己一無所有，於是努力追求著權力、聲名、金錢，抱怨自己的辛苦疲累，終日惶惶不安；害怕失去所擁有的，也焦慮無法獲得所要的。

這就如同一個國王，遺忘自己的王權，而莊園的主人，不曾探索自己所有的家。於是，被困在一個狹小的、虛幻的地下室，感覺無能爲力。

靈性的意思就是讓自己意識到自己「靈的屬性」，讓自己的人格去蕪存菁，成爲一把音色美好的樂器，讓神／唯一存在——協同整體的生命，彈出美麗的樂曲。

只要能夠實現這一點，一個人就完成了生命的目的。

12/18

The trees of the forest silently await God's blessing.
森林中的樹木，靜默地等待神的祝福。

爲了成長，人們需要向大自然中的一切學習。每塊岩石、每棵植物、每種動物，都有它們的智慧，地球上的所有生靈，都以它們的方式在演進、繁衍；想要覺醒，希望成長，是所有生命的渴望。

森林中的樹木，雖然哪裡也去不了，但是它們的根系綿延交錯，在複雜的地下通訊網絡悄然傳遞訊息，而它們的精神展現於努力往天上伸展的枝幹。樹木以獨特的方式讚美著神。它們的禱詞寫在每片葉子上，它們持續仰望著光，把光植入他們的生命。

有些參天古木甚至可以矗立深山數千年，天地寂然，以無比的堅毅展現生命的壯麗宏偉。

如果不是接收到神的祝福，它們應該早就腐朽枝離。

「生命的祝福來自，對於『祝福』覺醒的那一刻。」哈茲若．音那雅．康如是說。

12/19

The plain truth is too simple for the seeker after complexity, who is looking for things he cannot understand.

對於那些尋求複雜性的人而言，真理太簡單了。他所尋求的事物是他難以理解的。

關於「追求眞理」這件事，哈茲若．音那雅．康的說法眞是一針見血：「人渴望眞理，追求眞理，然而他卻也逃離眞理。人們想要的是神祕的事物。」

也正是因爲這個天性，使得眞理變得費解而複雜。如果你跟他說，眞理就是這麼簡單，你打開門走進去，就看見了。他不會信你。太輕易獲得的東西，對人們沒有價值，也不感興趣。

但如果你對他說，你必須要翻山越嶺，來到一個隱蔽的石陣，在那裡進行百日齋戒儀式，才會獲得啟發，他便會欣然前往。對大多數人，千辛萬苦獲得的才是眞理，在迷宮中繞圈子，才能解開的謎題更具有吸引力。人們想要求的「道」，總是遠在天邊。

這也就是爲什麼，祕士要把眞理隱藏起來，讓它染上神祕的色彩。只透露給少數眞正準備好要接受眞理的人。

12/20

An unsuccessful man often keeps success away by the impression of his former failures.

一個不成功的人，往往受制於他先前失敗的印象，而遠離成功。

我們的命運是現在進行式，不是下載在你的命盤、星座當中，也並不是宿命論者所說的，被命運之神操弄的結果。

所以，命運是什麼呢？ 事實上，命運是我們的思想所形塑出來的結果。不管你知不知道，或者有沒有覺察，一個人都必須要爲自己的成功或失敗，以及自己的提升或墮落負責。

什麼是想法呢？ 想法是你所散發出來的氛圍和頻率，在周遭所形成的氣場。這樣的氣場帶著特有的吸引力。如果你總是惦記著你曾經失敗的經驗，你對於失敗的專注，會吸引更多的失敗；如果你喜歡欣賞美好的事物，你對於美好的專注，也會吸引更多的美好來相應。

如此一來，我們的想法和感受，不僅傳播出特定的氛圍，同時，也爲自己創造了答案。

如果一個人面對失敗，能夠學會清理自己失敗的印象，淨化自己的思想，不要被失敗纏繞或打擊，甚至能夠改變自己的想法，把失敗看成是通往成功的踏腳石，你的精神也可以昂然無懼，散發截然不同的吸引力。

12/21

Man himself is the tree of desire, and the root of that tree is in his own heart.

人本身是慾望之樹，他的根是自己的心。

印度流傳這麼一個關於「慾望之樹」的故事：

有一個人聽說有一棵樹，它可以實現你的渴望，於是他出發去尋找這傳說中的樹。他穿過森林和曠野，最後抵達一個地方。累了，他躺下來睡覺，並不知道這棵慾望之樹就在那裡。

就在他睡著之前，他想著：「如果我此刻能有一張柔軟的床可以休息，而且有個美麗的房子座落在一個庭院裡，還有個噴泉，並且有人在那裡等著我。那該有多好！」懷著這樣的渴望，他睡著了。

一覺醒來，他睜開眼睛，發現自己睡在一張柔軟的床上，在一個美麗的屋子裡，有一個庭院和噴泉，而且有人等著他。他非常地驚訝，記得他睡前曾經有過這些念頭。他發現他就睡在慾望之樹的下方，他的願望，如奇蹟一般，都被樹實現了。

這個故事想要告訴人們的是，你的心思正是你的慾望之樹，而那樹根是你的心。讓願望實現的力量來自於你的思想，以及你的心。

我們都可以有想法、有念頭，然而，情感才是讓想法實現的關鍵。如果沒有注入情感，缺乏心的渴望，想法是死的。一旦有了情感，想法便有了精神和生命。

12/22

With good will and trust in God, self-confidence, and a hopeful attitude towards life, a man can always win his battle, however difficult.

憑藉善意和對神／唯一存在的信任、自信以及對生活充滿希望的態度，一個人總是能夠戰勝挑戰，無論那是多麼困難。

如果我們沒有信仰，凡事必須依靠自己去克服，無法相信神，不認爲在你之外有一個超凡、無所不在、全能的存在，那麼，每一場戰役都是孤獨的。

也有人說，我相信神。然而神被他以人的概念框住，設限了。這樣的信仰是虛弱的，也相對阻礙了神和他的連結。有人逢廟必拜，到處求籤，爲了萬無一失的保護，然而並不眞的相信他所獲得的答案。他心裡想：「萬一這個神不靈，還有下一個神。」這樣的敬拜是徒勞的，因爲他在拈香俯首的同時，也在懷疑他面前的神。被懷疑的神如何能發揮對人的生命的影響力？

哈茲若．音那雅．康說了這麼一個關於信仰的故事：

有位先知和他的同伴西迪克，為了逃避一個部隊的攻擊，躲在一塊岩石後面。當部隊靠近他們，而且敵人的馬蹄聲近在咫尺，西迪克很緊張。

「聽，他們來了！」西迪克說。

「怕什麼？」先知回他。

「他們很近了！」西迪克又說。

「那又怎麼樣？」先知還是很淡定。

「他們有好多人，而我們只有兩個人。」西迪克害怕極了。

「你錯了！」先知說：「我們有三個，你、我，以及神。」

先知對於神堅定的信仰，使他一無所懼。

如果我們的信仰夠堅定，無論遇到什麼麻煩，或是可怕的事，都能夠相信神／唯一存在，與你同在，你便會擁有無堅不摧的自信和希望，幫助你克服一切難關。

12/23

There are many paths, and each man considers his own the best and wisest. Let each one choose that which belongs to his own temperament.

旅行的途徑有很多，每個人都認為自己走的道路是最好、最明智的。讓每個人選擇適合自己性情的道路。

在不同的人生當中，有人追求愛情、有人渴望財富、有人想創造一個更美好的世界、有人探索天堂……。讓每個人依據他們內心的慾望，踏上自己的旅程。

我們不必覺得自己的道路才是最棒的旅程，或是說服別人改變他的道路來加入你所信仰的途徑。每個人會根據自己的性情和氣質，選擇契合他的道路；尊重和容忍與我們不同選擇的人，是很重要的修養。

讓人們各自爲自己的理想奮鬥、往自己想要的目標前進。當他抵達了眼前的目標，這會引導他前往下一個更遠的目的地。當每個人能夠去達成各自的理想，從中獲得幸福快樂，世界就會更和諧而美好，多彩而繽紛。

12/24

Failure, either in health or affairs, means there has been lack of self-control.

失敗，不論是在健康上，或事務上，都意味著缺乏自我控制。

控制自我，就意味著控制一切。

自我是你所騎著的馬，是你採取行動的重要工具。但是你若沒有轡繩，你可能反而被他摔下、失控，或是讓他爲所欲爲，帶著你朝著相反的方向狂奔。導致你無法前往你所要去的地方，完成你想完成的事。

這也是爲何，蘇非的祕士說：「所有疾病的藥方，都在於你對於生命的掌握。」

然而，如何訓練自我掌握的能力呢？

這必須透過自我鍛鍊，在面對外在的擾動時，發展出某種程度的淡漠沉著。譬如：被別人冒犯的時候，一般人傾向於立刻防守或反擊。可是，這麼做便會影響你的情緒，破壞你的平衡。如果這時候，能夠練習淡漠以待，處之泰然，就能夠保有自己的平衡與平靜。你的平衡與平靜，遠比立即反擊的快意更寶貴。

我們太常被一些無關緊要、不值得的事，搞得心煩意亂，衝動行事。這樣的情況都是來自於缺乏自我控制的緣故。

健康出現問題，一般是由於我們誤用了身體，導致它失去平衡而沒有覺察，於是積累而形成病變。誤用身體的原因，可能是壓力、熬夜、縱慾、上癮症，或是飲食不當，或是長年的創傷、焦慮、憂鬱、不可控的負面想法……。身體的失衡，得覺察心理成因。改變自我的心態，甚至控制自毀的行爲，才是根本的療癒。

你的所言、所行、所思、所感，都會對你的精神造成一定的壓力。明智的做法是避免一切令自己失去平衡的機會，不管那是身體或是心理的平衡。一個人必須平靜而堅定地拒絕所有會擾亂自己生活的影響。

12/25

Love is as water of the Ganges; it is itself a purification.

愛猶如恆河之水；它本身就是一種淨化。

「當神聖之愛如濤天巨浪升起時，它會在瞬間洗淨一生的罪孽，因爲法則在愛面前沒有任何力量：愛的溪流會將它沖走。」這是哈茲若．音那雅．康賦予愛的禮讚，也可以說是蘇非的格言。

恆河是印度教的聖河、母親河，印度人相信，以恆河之水沐浴，可以洗滌一身罪惡。因此，愛的淨化力量，就像是恆河，透過寬恕，洗滌了所有投身其中的人。

無論是什麼過錯、罪行、不完美，愛的擁抱就像是母親的懷抱，讓心能夠卸下苦澀與重擔，獲得寧靜和重生。

12/26

Love is unlimited, but it needs scope to expand and rise; without that scope life is unhappy.

愛是無限的，但需要擴展和提升的空間；沒有這個發展的空間，生活就會難過。

幸福是什麼呢？ 我們常會羨慕那些生活看起來很幸福的人，他們什麼都不缺，有舒適的環境、好的伴侶、生活充滿愉悅的選項，他們一定很快樂吧？

但是，事實上未必如此。一個人的幸福與否，和他所擁有的財富、房地產、伴侶都無關。是他內在擁有什麼，決定他的幸福。

如果一個人的內在欠缺理想，那麼他就沒有內在發展的空間，也看不到自己進步的可能或動力，他會很不快樂，死氣沉沉。

崇高的理想是愛的一種形式。

一個人可以很愛賺錢，然而，一個人也可以爲了想要達成崇高的理想，改變他人的處境，而努力賺很多錢來完成他的理想。前者的願望僅止於增加自己的財富，他的發展空間很快就遇見瓶頸；但是後者的發展空間是無限的，因爲他的理想深遠，他的愛給予他想像的空間和努力的目標。

12/27

Every wave of the sea, as it rises, seems to be stretching its hands upwards, as if to say, “Take me up higher and higher.”

大海的每一個波浪升起時，猶如往上伸出雙手在大喊：「帶我往上！我要愈來愈高！」

想要往上伸展，是人們的天性。就如海浪，它奮力升起，雖然一瞬間就落下，它會再來一次，乘著風，浪再度往上，不會因爲落下就沉寂……。喜歡爬山的人都知道，想要登上高山，就必需在斜坡上前進，滑倒了爬起來，繼續踩出下一步，或許是更沉穩的一步。

無論人們目前在什麼處境，就算是在社會底層、沒有地位或頭銜、不知道活著的意義，但只要他還感到一絲希望，使他可以前進，一旦有著往上伸展的可能，他就會嘗試抓住機會，往高處移動。

而這種向上延展的傾向，不僅存在於物質的世界，更是精神世界的核心動力。神祕主義者終其一生所追尋的是：理解自己的意識，以及提升自己的意識。觀察意識如何升起，如何陷落，怎麼樣才能夠幫助自己和其他人的意識，一起往上伸展，實現更崇高的理想……

12/28

True pleasure lies in the sharing of joy with another.

真正的快樂在於與他人分享你的快樂。

耶穌在野地講道，天色已晚，他讓門徒準備食物給衆人吃。但是門徒並沒有食物。有一個孩童，獻上他帶的五個麥餅和兩條魚。耶穌欣然接受，他坐下來，望天祈禱，把這幾塊餅和魚擘開來，分給在場的五千個人吃。不僅大家都吃飽了，剩下的碎屑還裝滿十二個簍子。

這小孩如果一開始，只擔心自己不夠吃，耶穌就無法施行奇蹟，我們也就沒有五餅二魚的美麗傳說。可以說，耶穌的奇蹟奠基於這孩子心中的慷慨之光。

當我們單獨旅行、看見美景、嘗到美食、嗅聞香氣，就算很享受這一切，然而，總是少了一點什麼。因爲眞正的快樂，來自於分享。當別人也快樂的時候，我們的快樂似乎才完整。當別人也享受食物，我們似乎就更滿足。

分享美食、花香、月光、好心情、帶來啟發的一句話，無論是什麼都好，只要那裡有你的快樂，你就會帶來快樂的共振，這也是五餅二魚所爲我們展開的取之不盡、用之不竭的豐盛的祕密。

12/29

A gain or a loss which is momentary is not real; if we knew realities we should never grieve over the loss of anything that experience shows to be only transitory.

得失都是短暫的，並非真實；假如我們明白何謂真實，我們就不會再為了失去任何短暫的東西而悲傷，因為那個經驗所呈現的只是無常。

爲了獲得某些東西，我們必然要付出一些代價。然而，我們是否有智慧分辨，什麼是眞正想要獲得的？什麼是值得爲之犧牲？什麼是眞實，什麼是虛幻？

純金和鑽石的價值很高，因爲他們的特質經得起時間的考驗；雖然K金和假鑽一樣閃閃發光，然而，它們的價值就相對廉價。因爲我們渴求的是持久性，而不是短暫的閃亮，於是持久的事物被賦予更高的價值。

在你個人的天秤上，對你而言什麼是值得付出時間、精力或金錢？什麼獲得是可以持久珍惜的？

有人會爲了沒有買到限量的包包而懊惱，有人會爲了和情人分手而沮喪；前者是短暫的失去，後者可能是更長遠的失去。但是這些從更長久的時間軸來看，是眞正的失去嗎？下一季永遠會推出更誘人的新包包，而關係的失落，或許會痛苦，卻帶來成長。

失落中，有獲得；而獲得時，可能也正在失去。短暫的得失，如鏡花水月。擁有分辨眞實與虛幻的智慧，我們才能做出正確的抉擇，把握眞正重要的東西。

12/30

A soul is as great as the circle of its influence.

一個靈魂影響的範圍有多大，他就有多傑出。

一個人的靈魂所能散發的影響，總是對應到他所關心的領域；其而影響範圍的大小，則反映出他的精神力量所及之處。

如果靈魂在乎的是名聲和地位，那麼他能夠影響的是那些敬重名聲和地位的人。如果靈魂關心的是財富，那麼他會觸及那些被財富控制或追求財富的人。如果靈魂嚮往和平，他的存在可能會帶來一個家族、村莊或甚至國家與國家之間的和諧。

1219年，聖方濟修士冒著生命危險，在十字軍東征的血腥年代，前往埃及求見當時的蘇丹王 Malik al-Kamil，希望穆斯林軍隊和十字軍能夠停戰。當時十字軍爲了奪回耶路撒冷，已經東征數次，不斷慘敗而且死傷不計其數。蘇丹王接見聖方濟，聆聽他的建議，兩人相談甚歡，互相敬重。這場會面，促成雙方停戰，帶來和平。

聖方濟大無畏的精神，以及他所散發的愛，擴及歐洲和中東兩個區域，他認爲神愛世人，包含基督徒和穆斯林；蘇丹王 Malik 寬大的心與智慧，使得他接住橄欖枝，做出停戰決議。

兩個偉大靈魂的美好會晤，拯救了無數的生命。

12/31

Happiness lies in thinking or doing that which one considers beautiful.

幸福來自於想著或做著一個人認為美麗的事。

爲什麼是美麗呢？幸福爲什麼不是去做一個人認爲好的事、對的事、有用的事，而是美麗的事？

哈茲若·音那雅·康賦予美獨特的地位。在他的許多文章當中，愛、美與和諧，成爲一個人內在修行的指標，是世界迫切需要實現的理想境地。

古往今來，各種宗教對於善惡的標準莫衷一是，而世界各國對於好壞的定義更是分歧，上一個朝代褒揚的東西，可能被下一個朝代推翻。好壞或善惡，無論是從習俗、理念、想法、行動來看，都沒有一個行遍天下的準則。

然而，每個靈魂內在都傾向於仰慕著美、追求美，喜愛美麗的事物，也創造美麗的事物來環繞自己。和諧和愛，都是美的同義詞。因爲只有和諧才能發展爲美。

音那雅·康說：「一個人可以耽溺於惡習，反覆做出傷害他人的行爲，但是總有一天，他自己會受不了自己，厭惡自己，甚至想要自殺。」因爲他內心得不到和諧，也無法感受到美，這違反了自己靈魂的天性。

美是人心所渴望的自然狀態，只要你的心中所思、所行，都是讓你的心感到美的、和諧的事，你自然就會快樂幸福。

幸福很簡單。

看世界的方法 276

別忘了飛

為心裝上翅膀的366天

July —— December

文字　王曙芳
影像　魏瑛娟

美術設計　吳佳璘
責任編輯　林煜幃
編輯協力　蔡旻潔

發行人兼社長　許悔之
總編輯　林煜幃
設計總監　吳佳璘
企劃主編　蔡旻潔
行政主任　陳芃妤
編輯　羅凱瀚

藝術總監　黃寶萍
策略顧問　黃惠美・郭旭原・郭思敏・郭孟君・劉冠吟
顧問　施昇輝・宇文正・林志隆・張佳雯
法律顧問　國際通商法律事務所／邵瓊慧律師

製版印刷　鴻霖印刷傳媒股份有限公司

出版　有鹿文化事業有限公司
地址　台北市大安區信義路三段106號10樓之4
電話　02-2700-8388
傳真　02-2700-8178
網址　www.uniqueroute.com
電子信箱　service@uniqueroute.com

總經銷　紅螞蟻圖書有限公司
地址　台北市內湖區舊宗路二段121巷19號
電話　02-2795-3656
傳真　02-2795-4100
網址　www.e-redant.com

初版第一次印行：2024年12月
ISBN：978-626-7603-11-6
定價：350元（上下冊合售700元）

國家圖書館出版品預行編目(CIP)資料
別忘了飛：為心裝上翅膀的366天／
王曙芳著. —初版 —臺北市：
有鹿文化, 2024.12 224面；17x23公分
—(看世界的方法；275-276)
ISBN 978-626-7603-10-9(上冊：平裝)
ISBN 978-626-7603-11-6(下冊：平裝)
1. 心靈療法　2. 靈修
418.98　113018255

讀者線上回函

更多有鹿文化訊息